COLLECTION DIRIGÉE PAR
GÉRALD GODIN
FRANÇOIS HÉBERT
ALAIN HORIC
GASTON MIRON

P9-DEM-821

LE CASSÉ

Jacques Renaud

LE CASSÉ

l'HEXAGONE

Éditions de l'HEXAGONE
900, rue Ontario est
Montréal, Québec H2L 1P4
Téléphone : (514) 525-2811

Maquette de couverture : Claude Lafrance
Illustration de couverture : Nicolas Letarte

Photocomposition : Jean-Claude Lespérance

Distribution : Diffusion Dimedia inc.
539, boulevard Lebeau
Saint-Laurent, Québec H4N 1S2
Téléphone : (514) 336-3941; télex: 05-827543

Distique
17, rue Hoche, 92240 Malakoff, France
Téléphone : 46.55.42.14

Édition originale
Jacques Renaud, *Le cassé*
Parti pris, 1964

Dépôt légal : troisième trimestre 1990
Bibliothèque nationale du Québec
Bibliothèque nationale du Canada

TYPO
Nouvelle édition définitive, revue,
corrigée, augmentée et remaniée

À Laurent Girouard
À la mémoire de Pierre Maheu

À André Garand, Michel Laperrière, André Major

Tous les personnages de ces nouvelles sont fictifs et toute ressemblance avec des personnes existantes et ayant existées serait due au hasard.

LE CASSÉ

1

LE PUSHER

1

Cette chambre lui a coûté cinq piasses.

Une chambre ?

C'est plutôt une espèce de grand placard. La porte : un pan de plywood assez large mais trop bas pour boucher entièrement l'entrée. Au-dessus de la porte chambranlante, un espace d'environ trois pieds de hauteur et d'un pied et demi de largeur permet à n'importe qui — pas besoin d'être acrobate — de passer du couloir à la chambre et de la chambre au couloir sans avoir besoin d'ouvrir ou de défoncer la porte.

Rien que cinq piasses par semaine. Ti-Jean comprend.

C'est pas chauffé. On est à la fin d'août. Il a encore des nuits et des jours chauds. Mais ce soir il pleut et le temps est frais. C'est à cause de ça que Ti-Jean s'est aperçu que c'était pas chauffé.

Aucun drap sur le lit. Aucune couverture non plus. La literie n'est pas fournie. Le matelas est taché de grandes flaques brunes et jaunâtres. Avec des trous de cigarettes dans cette chair bleu-déteint. Une coquerelle sort de l'un des trous comme une grosse bébite sortirait d'un trou de balle dans le ventre luisant d'un chien abattu. Repue, la coquerelle. Le matelas : un cadavre. « Y a pas un concierge à Montréal qui va se fendre le cul en quatre pour fournir une chambre à cinq piasses », murmure Ti-Jean dans sa tête. « Les cassés sont trop sales pour des draps blancs. »

La fenêtre : une porte-persienne à deux battants qui donne sur un balcon. Le balcon donne sur l'avenue du Parc. Ou bien sur le cimetière si on saute à pieds joints dessus parce que le bois de ce balcon de troisième étage est pourri : il empue.

À gauche du balcon, le mur d'un bloc d'appartements cache le viaduc vert, la traverse des rails du CNR et plus au nord, la rue Jean-Talon : des phares sans cœur, une sorte de grand vide plein de pneus qui font un bruit de langue sur l'asphalte, un son de bouche mouillée ininterrompu ; des autos reluisantes à cause de la bruine ; des autobus, des feux rouges, des klaxons, des hommes, des femmes. Un pan de mur à gauche. Un pan de mur à droite. Celui-ci c'est le sud de la ville qu'il cache, vers la rue Beaubien, la rue Mont-Royal, la rue Sherbrooke, Ontario, la Catherine, la Craig, le port de Montréal, la partance, le goût parfois obsédant de tout crisser *ça* là pis d'partir. Disparaître. Toujours vers le sud : le pont Jacques-Cartier, la campagne, Québec, les filles. Et plus loin encore, plus loin : Percé, les Gaspésiennes et l'air du large qui vous enveloppent la nuit, qui vous lâchent pas. *Les Gaspésiennes ont la peau la plus douce en Amérique du Nord...* Faire le tour de la mâchoire d'âne gaspésienne, passer par la Matapédia, revenir par le pont Jacques-Cartier, la Catherine, l'avenue du Parc, le balcon. Ti-Jean rentre dans la chambre. La peur l'a agrippé aux épaules et l'a tiré par en arrière : le balcon a craqué.

Il pleut.

Ti-Jean s'assoit sur le bord du matelas. Il doit être onze heures du soir à peu près.

Philomène s'en vient, il l'attend.

Un filet d'eau froide coule le long de la porte-persienne. Ti-Jean regarde. L'eau se ramasse en une petite mare sur le prélart du plancher qui bombe et creuse ici et là. L'eau se ramasse dans un creux sans trop se presser. Comme l'heure au fond du jour. Et le « pareil-au-même » au fond de la vie.

Ti-Jean va refermer les portes-persiennes. Il regarde dans la chambre. À gauche, une commode en bois blanc verni. Un long miroir est encastré dans la commode, un long miroir rousselé de chiures de mouches. Au bas de la commode, un tiroir ouvert tire sa langue vide et carrée. Mais l'eau ne montera pas jusqu'à lui pour le désaltérer. Pour délayer sa crasse. Pour tout pourrir, tout humecter. Le fil d'eau bruineuse ne coule plus sur le plancher concave. La mare d'eau dort. Elle est pleine. Ti-Jean digère quelques-unes de ses heures mal mastiquées. Les portes-persiennes sont fermées. Ti-Jean n'entend plus le bruit des autos ni l'entêtement lourd des roues de fer sur les rails de fer sur le viaduc vert. Ti-Jean regarde les murs de la chambre. Les murs de la chambre sont barbouillés de traces de doigts. Toutes sortes de doigts. Les doigts de qui ?

Ti-Jean se dit que ça fait au moins une heure qu'il a appelé Philomène d'un restaurant pour lui donner l'adresse de la chambre. En attendant qu'elle trouve du travail, Ti-Jean veut lui payer cette chambre.

(— *Combien par semaine ? a demandé Philomène.*
— *Cinq...*
— *Bon...* (« *Ça doit faire dur en chiard, sa chambre...* »)
— *Mémène ?...*

15

— *Quelle adresse ?*
— *738... Du Parc.*
— *C'est quel numéro, l'appartement ?*
— *Heee... Sept. Non, non ! Huit, huit...*
— *Oké.*
Philomène a raccroché.)

Ça fait près d'une heure maintenant que Ti-Jean a parlé au téléphone avec Philomène. Philomène est encore au restaurant où c'est que Louise travaille, sa copine. Mais Louise était pas là ce soir.

Philomène pivote sur le strapontin du restaurant en donnant dix cennes à la caissière affairée et sort sur la rue.

Philomène boutonne son trench-coat.

« Cinq piasses. C'est pas vargeux, ça, mon Ti-Jean »,
pense Philomène. « C'est vrai qu't'es cassé mais t'aurais
pu t'forcer l'cul. Tu m'auras pas plus qu'une semaine
dans c'te chambre-là. Pas plus qu'une semaine. Me semble
d'y voir la chambre. C'est mieux que rien, comme y dit
toujours. Ouais. Maudit pauvre. Ch'commence à en avoir
assez de ses manies de m'dire où c'est qu'y faut que
j'reste. Y est cassé pis y donne des ordres ! »

Philomène a marché sur la Catherine en pluie jusqu'à
Bleury ou « Du Parc », la rue change de nom plus au nord
à partir de Sherbrooke. Arrivée sur Bleury, Philomène a
commencé à faire du pouce. Elle accroche pas toujours
du premier coup. Des fois le trajet se fait pas aussi vite
qu'elle voudrait. Quand c'est un homme, y chante la pom-
me. Y fait des détours par exiprès pour gagner du temps.
C'est comme ça que Philomène a déjà perdu ben du
temps pis sa cerise. Le gars veut tâter sa chance. Il s'en-
gage dans les rues désertes des quartiers résidentiels. Ça
prend du temps. Philomène connaît l'affaire.

Au bout d'une minute, une petite Volkswageune a
stoppé. Philomène a couru vers l'auto. Une main de femme a ouvert la portière.

— Où allez-vous ?

— Dans l'bout d'Jean-Talon...

— Montez.

L'auto a démarré. Philomène est assise tout près d'une jeune femme d'environ vingt-cinq ans. Philomène pense qu'elle aurait préféré un homme. C'est plus agréable. Elle pense : « On leur arrache un petit cinq, un petit dix. Y sont pas toujours beaux mais ça fait rien... On peut pas tout avoir... Quand y sont vieux, y tripotent un peu... Des fois pas, y s'contentent d'la main. Y sont doux. Y sont paternels. Les vieux, c'est presque jamais en bas d'un dix... »

Mais ce soir, Philomène se sent tout à coup pressée. « Une femme... » Philomène a hâte d'aller dormir.

— Vilaine pluie.

Philomène sursaute : « Hum ?... »

— Vilaine pluie, dit la jeune femme... Il pleut.

— Oui... Oui...

Philomène a soudain peur de mal parler. La femme est instruite, ça s'entend.

— C'est... C'est ben... C'est... C'est d'valeur.

— Hum ?... Vous n'aimez pas voyager en autobus ? dit la jeune femme.

— Non... C'est pas ça...

— Vous n'avez pas d'argent, alors ?

— Ben... Non... Heee oui... J'veux dire...

L'auto s'est arrêtée au feu rouge de la rue Laurier. Ils roulent sur Du Parc depuis la rue Sherbrooke. Philomène regrette d'avoir laissé sous-entendre qu'elle a pas d'argent. Elle s'en veut. Dire ça à une femme c'est comme se diminuer. C'est avouer une faute. À un homme, c'est pas la même chose. Les hommes vous pardonnent tout quand ils ne vous connaissent pas. N'importe quoi pour vous avoir. Même un dix. « Une femme ! Maudit !... »

pense encore Philomène. « J'aurais pas dû embarquer. En tous cas j'aurais dû y dire que j'étais pressée, c'est toute, que c'est pour ça que j'fais du pouce pis que ch'prends pas l'autobus. Mais j'avais peur de mal parler, maudit, j'voulais en dire le moins possible, comme d'habitude. J'aime pas ça quand ça parait que j'parle mal, surtout avec du monde de même... »

La jeune femme jette de temps à autres un regard à Philomène. Philomène est jolie. Ses cheveux noirs relevés sur la nuque accentuent la minceur du cou. Ses lèvres sont rouges, à mordre. L'eau lui a collé des mèches épaisses sur le front. Philomène était contrariée. Elle est maintenant mal à l'aise. La jeune femme lui jette toujours de temps à autres un regard trop tendre. « C'est pas normal, ça », pense Philomène.

Feu vert. La main de la jeune femme a touché celle de Philomène en saisissant le bras de vitesse à boule de nacre blanc qui les sépare. Philomène a réagi en portant sa main gauche à son front. La jeune femme embraye. Philomène effrite ses mèches mouillées. La jeune femme a souri en embrayant. Elle a remarqué le manège de Philomène.

Les reflets des néons et des feux arrières des autos se diluent dans l'asphalte mouillé. Coulent.

Feu rouge. Arrêt.

La jeune femme a saisi la main de Philomène pour de bon.

Philomène s'est retournée vers la jeune femme. Elle a tenté de retirer sa main mais sans conviction. La jeune femme n'a pas lâché. Elle regarde Philomène avec insistance, calme, sûre d'elle-même.

— Tu as besoin d'argent ?

Philomène a imperceptiblement relevé la tête sans se tourner vers la femme et sans répondre.

— Combien ? demande la femme.

Philomène, sans répondre, s'est tranquillement tournée vers la jeune femme.

— Je peux t'aider, dit encore la jeune femme en avançant la main vers elle. Cinq ?... Dix ?...

De la main gauche, la jeune femme joue maintenant dans les mèches mouillées de Philomène. Et Philomène ne sent aucune gêne, aucune répulsion. Elle se sent même assez bien. Mais elle ne voudrait pas que les passants la voient, qu'ils la regardent, que quelqu'un puisse la reconnaître.

— Tu sais, ça reste entre nous, dit la jeune femme.

Feu vert. Les autos klaxonnent derrière la Volk's. La jeune femme retire sa main et elle embraye sans s'énerver.

— De combien as-tu besoin ? demande la jeune femme.

— Ahh... Pas beaucoup...

— Tu sais que tu es jolie ? On te l'a sûrement déjà dit.

Philomène sourit. La vanité l'enjolive. Elle se sent couler dans le mâchemâlo de la flatterie. C'est agréable.

— Comment t'appelles-tu ? demande la jeune femme.

La Volk's secoue ses pneus comme un minou mouillé ses poils.

— Philomène...

— « Philomène... » C'est rare. « Mémène... » Oui, c'est ça : « Mémène ». C'est beaucoup plus joli. Moi, je m'appelle Berthe. Berthe Larue. Je suis étudiante à la faculté des lettres de l'Université de Montréal...

Philomène est impressionnée. Elle fait un « haa bon, haaa bon » étiré et surpris. La jeune femme y va, elle continue, elle parle de « pauëtes », des noms que Philomène ne connaît pas. « Bauglaire », d'autres. C'est très, très intéressant.

Pendant que la jeune femme parle, Philomène a tout d'un coup pensé à Ti-Jean, l'espace d'une demie seconde. Ti-Jean qui l'appelle aussi « Mémène ». Ça date du temps de leur première rencontre. Il avait pris sa petite main dans sa grosse patte. « Tu viens avec moé, Mémène ? On va s'en passer une, han ? Viens, viens-t'en. » Ti-Jean avait insisté. Philomène avait suivi. Quand y veut, Ti-Jean, y a pas moyen de l'faire démordre.

C'te nuit-là, Ti-Jean était venu trois fois.

Berthe, la jeune femme, continue à parler dans l'auto.

Philomène continue à faire des « haa bon » étirés et surpris. Elle a chassé Ti-Jean de son esprit. Ti-Jean n'a pas sa place à côté d'une femme instruite et distinguée. Mais Ti-Jean lui revient encore dans la tête. « Bonyeu... J'pourrai jamais m'en débarrasser. »

Après leur première nuit ensemble, le matin, Philomène était partie travailler. Et le soir elle n'était pas rentrée chez elle au cas où Ti-Jean l'aurait attendue. Elle était allée chez Louise. Elle ne voulait pas revoir Ti-Jean. Ti-Jean l'attirait et en même temps Ti-Jean lui tombait sur les nerfs. Et lui faisait peur. Ti-Jean, lui, l'avait cherchée durant trois soirs d'affilée. Il était retourné au restaurant où il avait rencontré Philomène et il avait fait connaissance avec Louise, l'amie de Philomène. Tassée dans un coin, Louise lui avait donné son adresse. Durant deux matins d'affilée, Philomène n'était pas rentrée au travail à la manufacture. De peur que Ti-Jean arrive à la découvrir là-bas. Elle craignait d'avoir à subir l'autorité sans réplique de ce costaud un peu trop brutal. Philomène avait perdu sa djobbe. Et le même soir, Ti-Jean avait ressout à minuit chez Louise. Il avait trouvé Philomène couchée à côté de Yves, un ami de Louise. Ti-Jean s'était mis à hurler : « Y s'appelle comment, lui, calvaire ! »

— Voyons, Ti-Jean, disait Philomène, voyons, Ti-Jean...

Philomène s'était levée, les yeux hagards et regardait partout autour d'elle dans la chambre, tremblante, à moitié endormie.

— Pas d'affaires, crisse, criait Ti-Jean, comment qu'y s'appelle c'te morviat-là !

— Fais pas l'fou, Ti-Jean, criait Philomène, y s'appelle Yves, fais pas l'fou !

Philomène courait tout nue dans l'appartement, elle cherchait son pydjama. Yves disait rien. Il était à demi assis dans le lit, il avait tiré les draps et la couverture de flanellette sur lui. Il avait l'air éberlué.

— Ben Yves, sors d'icitte, crisse ! T'as pas d'affaire à y pogner l'cul, criait Ti-Jean. C'est ma plote pour tout l'temps astheure ! Mets-toé ben ça dans ton crisse de casse sale !

— Co-comment, balbutiait Yves, assis en boule dans le lit.

— M'as t'sortir si tu sors pas ! criait Ti-Jean.

Ti-Jean mesure cinq pieds et huit pouces. Une grosse face, des épaules. Il est roffe avec lui-même comme avec les autres. Quand y veut quelque chose, y a personne pour le faire démordre. Il pèse cent soixante livres. Des épaules. Il a deux grands yeux comme des trente-sous. Bruns. Il beugle. Avec lui, Philomène avait peur de personne. « Mais bonyeu, y a des limites... »

Ti-Jean avait défoncé la porte du logement pour entrer.

La concierge s'était réveillée en bas et elle était montée dans le logement de Louise en entendant les cris de Ti-Jean et elle s'était mise à crier elle aussi : « Si vous arrêtez pas, j'appelle la police ! Ç'a-tu du bon sens de mener l'diable comme ça ! »

Finalement Yves était sorti, les nerfs tendus comme des élastiques, tremblant de terreur et de sommeil. Les voisins s'étaient mis à cogner dans le plafond, sous le plancher, dans les murs : « Vos yeules ! » Philomène s'était collée sur un mur, elle voulait pas se faire voir, osait pas se montrer. « Le maudit fou, qu'elle pensait, le maudit fou... » Quand la concierge a aperçu Philomène, elle a glapi qu'elle avertirait la vraie locataire de plus laisser n'importe qui coucher chez elle, que c'était pas normal ces affaires-là.

Philomène avait dû quitter le logement de Louise le lendemain à la demande expresse de la concierge.

Philomène avait promis, d'abord à la concierge puis ensuite à Louise, de payer les dégâts causés à la porte. C'est Ti-Jean qui avait payé. Ça l'avait cassé. Ti-Jean voulait se faire pardonner par Louise. Par Philomène aussi. Mais par Louise aussi parce que Louise avait un petit côté grassette pas mal ragoûtant.

— *Est-ce qu'on approche de chez vous ?*

C'est Berthe. Dans la Volk's qui roule sur du Parc.

Philomène était perdue dans ses pensées. Elle revient à elle.

— Hum ? insiste Berthe.

— Ah oui... Oui... Arrêtez icitte... Arrêtez icitte, m'as débarquer...

— Non, non, dit Berthe. Où demeurez-vous ? Je vais vous reconduire à la porte.

23

Philomène était mal à l'aise. Elle pense à la chambre cheap qui l'attend. À Ti-Jean. Elle a honte.

— J'aimerais mieux faire le reste à pied...

Philomène toussotte. Elle a un chat gros comme un tigre dans la gorge, un chat gros de honte et de peur : « Merci. (Elle toussotte encore.) Merci... »

— Attendez un peu, dit Berthe qui tutoie et vouvoie Philomène.

La jeune femme a stoppé la Volk's au coin de Bernard et de du Parc. Elle a retiré sa sacoche d'entre les deux sièges avant. Elle en a sorti un crayon et un carnet. Elle a griffoné quelque chose. Elle a froissé un dix dans sa main avec le bout de papier. Philomène, ses petites épaules tombantes, la tête penchée, regardait faire Berthe sans parler. Elle a senti la main de Berthe sur sa main gauche. Elle a laissé Berthe prendre sa main. La jeune femme y a mis la boule de papier froissé. Elle a refermé la main de Philomène sur la boule. Puis Berthe l'a regardée droit dans les yeux, calme, douce, toujours aussi sûre d'elle-même. « Comme un homme doux », a pensé Philomène. Puis elle a entendu la voix de Berthe : « Veux-tu être ma maîtresse ? »

— Hum ? a fait Philomène.

— Veux-tu être ma maîtresse ?

— Maîtresse...

Philomène est mêlée. « Maîtresse, maîtresse d'école, devoirs d'école... »

— Veux-tu sortir avec moi ? demande Berthe.

Philomène ne trouve rien à dire. Un chat gros comme deux tigres lui paralyse la gorge. Elle est gênée, sa voix sort pas, elle est paralysée dans ses mots.

— Tout ça reste entre nous, dit Berthe. Si tu as besoin d'argent, viens chez moi. Je t'ai donné mon adresse sur le papier. Ne te gêne pas Mémène...

L'énorme chat gonflé qui lui paralyse la gorge pourrait soudain exploser et lui sortir par les yeux en torrents de larmes. Philomène ne sait plus quoi elle est. Où elle est. Qu'est-ce est qu'y arrive. Tout ce qu'elle voit c'est le visage de Berthe qui s'approche du sien. Le visage est calme. C'est peut-être le visage du chat géant dans sa gorge qui grouille comme une larme énorme. De côté, Philomène voit les yeux calmes de Berthe s'agrandir pendant que la jeune femme approche son visage du sien, tranquillement. Proche. Ça sent. Ça sent la Spearmint, un parfum.

Philomène tourne la tête vers Berthe, face à elle. Les lèvres minces de Berthe touchent les siennes.

Philomène détourne soudain la tête.

Elle a encore pensé à Ti-Jean. Ti-Jean qui l'attend et qui va lui faire un spîtche. Elle panique. Elle pense aux gens qui passent sur le trottoir, pressés, oui, mais qui peuvent la voir et la reconnaître, et les occupants des autos qui dépassent la Volk's, et...

Philomène a reculé sur la banquette et elle a saisi à deux mains la poignée de la portière. Elle a ouvert et s'est éjectée d'un coup de la Volk's comme un chatte paniquée sans claquer la portière derrière elle. Et elle s'est mise à courir comme une folle sur Bernard. « Personne m'a vue, j'espère... » Elle a entendu la portière claquer derrière elle puis le fluillement des pneus mouillés qui se sont mis à rouler avec les autres sur l'asphalte reluisant. Ça faisait penser à un bruit de célophane qu'on froisse.

3

La chambre à cinq piasses, ç'a pas duré une semaine.

Philomène a téléphoné à Louise au bout de deux jours. Elle en pouvait plus de ce maudit coqueron humide et puant.

Louise lui a dit qu'elle pouvait venir rester chez elle pour deux semaines. « Mais pas de farces plates, a dit Louise. Amènes-en pas d'autres que Ti-Jean, sacrifice. J'ai pas envie de m'faire mettre à porte, j'ai besoin d'mon logement. En tout cas tu vas avoir d'la place, ch'pars pour Québec. Mais j't'avertis : j'veux ben t'aider mais j'ai pas envie de tout ertrouver à l'envers en r'venant ! »

Philomène a transporté sa sacoche rue Duluth, chez Louise, près du parc Lafontaine.

Elle aime ça, Philomène, déménager. C'est son sport. Même quand elle travaille. Elle est en chômage dans le moment, ça lui facilite les choses. Couche ici, couche là. Chez des filles, autant que possible. À cause de Ti-Jean. Elle fait tout ce qu'elle peut pour que Ti-Jean aye de la misère à la retrouver. Elle a peur de Ti-Jean, elle se sent tout le temps obligée de lui obéir au doigt, au cri, à l'œil. C'est sa façon à elle de lui tenir tête : déménager, changer de place. Elle couche seulement avec des inconnus quand ça lui arrive de faire Ti-Jean cocu. Avec des gars qu'elle est sûre de pas revoir. Des fois y y donnent de l'argent. Ça aide. Pour elle pis pour payer la pension du petit. Avec les gars, la plupart du temps, a demande pas leur nom pis a dit pas le sien. Tout pour que Ti-Jean apprenne pas. Si Ti-Jean apprenait ça... « C'est un gros crédule, Ti-Jean, mais quand une crise y pogne, une colère, y casse toute, y cogne, y est dangereux. Y est terrible... Un vrai maniaque. »

4

Philomène s'est trouvée une nouvelle djobbe. Empaqueteuse de cigares dans une manufacture de tabac. Elle met

> cinq gros cigares dans une boîte
> cinq gros cigares dans une boîte
> cinq gros cigares dans une boîte
> (coffee break : dix minutes)
> cinq gros cigares dans une boîte.

Vous pouvez vous les procurer dans les restaurants, les cigares à Philomène. Trente-cinq piasses par semaine pour quarante heures de travail. Tout ça pour fabriquer de la boucane à cancer. Et toute la sueur s'envole en fumée.

Louise est revenue de Québec. Elle travaille de nuit dans un restaurant. Elle va repartir encore dans deux jours. Elle revient du travail quand Philomène part le matin. Ti-Jean arrive après le départ de Philomène. Il tasse Louise dans un coin. Louise le laisse faire. Louise fait la gaffe mais c'est gratis pour Ti-Jean. Ti-Jean est cochon. Le lecteur s'attend sans doute ici à une description cochonne. Que le lecteur se réfère à ses expériences personnelles. Ou à défaut de celles-ci, qu'il sacre.

5

Philomène a pris rendez-vous avec Berthe dans un restaurant.

Le lecteur s'attend sans doute à une conversation lascive et perverse suivie d'une orgie lesbienne dans un appartement.

Qu'il sacre.

Il s'est agi, tout au plus, d'alcool, d'excitants, de drogue, de hasch, de goûffebâles. Ç'a jasé, ç'a jasé. Berthe connaît quelqu'un qui en fait le commerce, des goûffes. « Dis donc, Mémène, *(oui, oui, bien sûr, le voilà ton dix)*, si tu pouvais me rendre un tout petit service, hum ? Demain, va à cette adresse, demande Bouboule et dis-lui que tu viens de la part de Berthe. Demande-lui s'il n'a pas un paquet pour moi. Et viens me le porter. »

6

Philomène a rencontré Bouboule. Bouboule a tassé Philomène dans un coin. Philomène s'est esquivée. Elle veut être prudente. Elle ne connaît pas Bouboule mais elle a peur, peur sans trop savoir pourquoi, peur d'une sorte de nuage de violence qui semble l'envelopper, peur de la mort en même temps, quelque chose. Peut-être aussi que ça pourrait déplaire à Berthe. Berthe a de l'argent, une auto. Et on sait jamais, y a Ti-Jean, y pourrait l'apprendre : quand les hommes couchent avec la femme d'un autre, ils se prennent pour des matamores, ils se vantent. Dans les tavernes. Ti-Jean va dans les mêmes tavernes que Bouboule, Philomène le sait, y vivent pas loin tous les deux.

Alors Philomène lui a dit à Bouboule que « Ti-Jean je l'aime ». Elle lui a joué la comédie de la femme fidèle. La plupart du temps, ça pogne. Pour Philomène, y s'agit d'pas perdre la face, ni à coups de claques ni à coups de poings.

Bouboule, lui, y a l'habitude. Y a ben vu que Philomène avait une peur bleue de son Ti-Jean. Y était bandé, Bouboule, mais y avait peur du Ti-Jean, lui aussi. Y l'connaît, y l'a déjà vu. Y sait ce que c'est, c'genre-là : Bouboule pense que y en a pour qui l'cul d'leur plote remplace l'hostie d'la messe. « Y en a juste un qui a l'droit d'y toucher : c'est des curés manqués. »

Philomène est partie.

— Gagne de caves, a grogné Bouboule...

Et Bouboule, bandé, s'est crossé.

Berthe sourit, sereine, au volant de sa Volk's.

« Deux, trois petits billets de banque, pense-t-elle, et en voilà une autre qui va bientôt s'allonger dans mon lit. Ces ouvrières sont stupides et naïves. C'est incroyable. Elle fait mes courses comme une bonne à tout faire... »

Berthe sourit sereinement. Elle gare calmement son auto dans le parking de l'Université. Elle a un cours cet après-midi : Baudelaire. Littérature, auto, goûffebâles et papa. Baudelaire et paprika.

Philomène se disait, en retrant chez Louise, qu'après tout, Bouboule ou pas Bouboule, un de plus ou un de moins, ça faisait pas tellement de différence.

Louise dormait. Fatiguée. Son linge éparpillée, sa jupe, sa brassière traînaient sur le plancher comme des flaques de peau molle ou des mottons de mastic.

« A s'est déshabillée vite en maudit », pense Philomène. « Y a des clients pressés », pense encore Philomène. La pensée de Louise au lit avec son client l'excite. Elle pense qu'elle devrait peut-être faire la gaffe plus souvent pis pour de vrai, comme Louise, ça lui ferait plus d'argent.

Des rouleuses écrasées traînent dans le cendrier de verre à terre près du lit. Philomène fume pas. Louise fume pas des rouleuses, elle fume des cork tip. « Le gars fumait des rouleuses. Y devait être marié, c'est presque tout le temps comme ça... Y est venu tromper sa femme icitte... » Philomène trouve ça drôle. Comme si elle connaissait un secret important que personne connaît excepté trois personnes au monde : elle, Louise et le client. Philomène s'assoit sur le bord du lit à côté de Louise qui dort. Elle commence à se déshabiller en repoussant le cendrier du bout du pied et en regardant les rouleuses écrasées. « Une cocue d'plus... » Elle éclate de rire. Louise remue à côté d'elle dans le lit. Philomène se tait, se glisse nue dans le lit, s'étend près de Louise. Louise est chaude. Les draps sont chauds. Philomène bâille en glissant ses deux mains entre ses cuisses et en serrant ses doigts dans le mou tendre et mouillé de sa vulve. Elle s'endort la tête pleine d'images : *une Volk's... Bouboule... La face de bébé de Bouboule... Son petit...* Elle veut pas penser à lui, son petit... *Cinq gros cigares dans une boîte...* Philomène serre, serre ses doigts entre ses cuisses. *Berthe... Ahh bon, Ahh bon... Elle voit le paquet que Bouboule lui a remis... Qui grossit... comme un ventre de femme enceinte... puis comme une sorte de grosse boîte noire rectangulaire... qui grouille de choses noires et foncées... avec Bouboule dedans... et des pierres autour... des roches et des pierres... Dans un fond de cour... Berthe...*

Philomène se retourne lentement dans le lit en s'étirant les jambes dans un demi sommeil et en serrant fort ses doigts mouillés dans sa vulve. Elle colle sa cuisse et ses deux fesses contre la cuisse de Louise... *Tendre... Berthe...* Tout à coup elle serre très fort en haletant, serre, serre entre ses cuisses en geignant... en geignant... un délice.

Puis elle se détend.

Se détend.

Et sombre bientôt dans le sommeil.

Vers minuit, Louise s'est réveillée et s'est levée avec précaution. Elle a lentement repoussé le bras de Philomène qui l'entourait. En la regardant, Louise a pensé : « Un vrai bébé. » Philomène avait vraiment l'air d'un bébé. D'une enfant. Puis Louise a aperçu le cendrier plein de *butts* de rouleuses par terre. Les mégots de Ti-Jean.

— Maudit ! Y fait-tu exiprès pour écœurer Philomène pis faire d'la chicane ! ? Y veut-tu qu'a l'sache qu'y couche avec moé ! Y aurait pu aller jeter ça dans toilette !... Y veulent absolument s'compliquer à vie, ces deux-là ! J'espère que Philomène a rien vu... J'veux pas d'complications...

Louise a ramassé le cendrier. Elle a couru à la toilette. Elle a vidé le cendrier dans la bol et elle a tiré la chaîne.

Angoisse floshée.

Ti-Jean lit *Allô Police* dans sa chambre.

Il est déçu.

Ce qu'il aime, lui, c'est les décapités, les découpés en morceaux. Ça se fait plus beaucoup.

Y a des vols, des viols, des meurtres, du sang, oui, y a ça. Mais c'est à peu près tout, pas grand-chose d'autre. Pas de corps découpés de c'temps-citte, pas d'têtes écrasées. Y a des photos de bandits mal rasés avec les cheveux drettes su'a tête comme des voyages de foin avec un numéro long comme le bras sur une pancarte en dessous de la gorge. C'est plate, c'est la même chose tout le temps.

— Les bandits ont pus d'imagination d'pus quèq' temps, murmure Ti-Jean en lâchant *Allô Police* à terre pis en prenant son *Détectives*.

Là, dans *Détectives,* Ti-Jean apprend que les détectives connaissent la plupart des malades sexuels.

— Waïïgne...

Il regarde la photo d'une lesbienne nue, étendue sur le plancher, la main serrée entre les cuisses, « en pleine crise de perversité solitaire » comme dit le bas de la vignette.

— Waïïgne, grogne encore Ti-Jean.

Il avale sa salive.

— « Solitaire », ça veut dire « tout seul », ça, crisse : j'ai pas faite mon secondaire pour rien ! Qu'y essayent pas de m'faire crouère qu'y avait personne avec la lesbienne quand'y l'ont pris en photo !... Y m'prennent-tu pour un cave ?...

Ti-Jean regarde l'article à côté de la photo.

— Qu'est-ce est qu'y disent ?...

Il se met à lire.

C'est l'histoire d'une lesbienne. Huguette.

Huguette, la lesbienne, s'attaquait à d'innocentes gamines. Parfois à des adolescentes. Les *détectives* veillaient...

— Une chance...

Mais les *détectives* arrivaient rarement à prendre la petite maudite Huguette en *flagrant délit* d'cochonneries. Ils l'arrêtaient pour l'interroger pis après y la relâchaient. Quand y la relâchaient, Huguette recommençait.

— Ça veut jamais écouter l'bon sens...

Un jour, cette lesbienne masochiste (c'était une lesbienne masochiste) demanda à l'une de ses adolescentes innocentes (c'était des adolescentes innocentes) de lui faire des petites entailles sur les fesses et sur les seins avec une lame de rasoir. Pour le fun. C'était une masochiste, eh oui, eh oui, affirment les *Détectives,* pom popom pom, une masochiste.

L'adolescente innocente se plia au caprice original de la lesbienne. Mais voulant sans doute rivaliser d'originalité avec Huguette, ou bien par un curieux revirement d'humour, c'est avec le couteau à pain que l'innocente adolescente lui fit des entailles, pis pas des petites, pis pas à petits coups. Pom popom pom.

On retrouva Huguette baignant-dans-une-mare-de-sang.

— Ouan, c'est effrayant...

Voilà comment finissent tous les pervertis sexuels, affirme *Détectives*. 15 cennes.

— Ça écœure...

Ti-Jean tourne les pages.

Il y a un autre article sur Cléopâtre qui se baignait dans du lait.

— Ça devait coller à fin...

Il y a un autre article sur la maîtresse d'école Georgette qui souffrait de maladies vénériennes et qui distribuait gratis ses bébites à ses élèves. On l'a fait soigner, disent les *détectives*.

— Y disent pas pourquoi, les torrieux. Des maladies, tout l'monde en a, si fallait toujours se faire souègner...

Ti-Jean laisse tomber le journal sur le prélart.

— Maudit qu'c'est plate...

Il va ouvrir la radio. *You dance to the Jailhouse Rock!* jaillit dans la chambre. Presley. Elvis. Ti-Jean écoute pas, entend pas. Ti-Jean va s'étendre sur son lit, gazé, la gorge grosse et pleine de peine, pleine d'un sourd et inexplicable tigre de peine.

10

Cet après-midi-là, Yves, en passant sur la rue Sherbrooke, a vu Philomène monter chez Bouboule. Yves sait que ben du monde connaît Bouboule. Mais Philomène ? Philomène connaît Bouboule ? « Ah ben cibole, pense Yves, dis-moé pas qu'a crosse Bouboule ! C'est ça qu'y aime se faire faire... Est bonne ! Son Ti-Jean doit pas savoir ça sans ça y en a un des deux qui passerait par là... »

Yves se rappelle Ti-Jean. Philomène, il la connaît, il a déjà couché avec. Ti-Jean le sait depuis la fameuse nuit chez Louise. Yves était couché dans le même lit que Philomène. Pis y a une espèce de bonneseur qui a défoncé la porte du logement, qui s'est jeté dans chambre comme un bœuf enragé, les cheveux dans face, la bave à bouche en lui criant : « Sors d'icitte, crisse !... »

Yves était sorti. « Ti-Jean », c'était le nom du maniaque. Le gars beuglait. Yves le reconnait des fois sur la rue. Lui pis Ti-Jean, quand y se croisent, y s'envoyent un petit salut sec de la tête. De loin. Pas plus. Yves est petit. C'est mieux pour lui de faire attention. Yves a les cheveux châtain clair, des poils de barbe clairsemés, une drôle de petite face pointue, un peu hypocrite. Yves a pas interpelé Philomène en la voyant monter chez Bouboule. Non. Mais il va tout dire à Ti-Jean, il vient de décider ça. Sans que Philomène s'en doute. Y sait pas trop pourquoi, une idée comme ça juste pour le fun, pour faire d'la marde, pour faire du trouble. Ti-Jean traîne dans le coin, un peu partout, y prend tout le temps des marches : Yves est sûr de le croiser un moment donné.

Yves continue sa marche sur la rue Sherbrooke.

Il fait beau.

Yves est serein.

Il marche.

« Chiennerie de vie », pense Ti-Jean.

« La paix, c'est pas pour demain », Ti-Jean pense à ça. « Mais qu'est-ce est que c'est, le bonheur ? »

Le lecteur s'attend sans doute à ce que je dise que Ti-Jean a la nostalgie d'une certaine sécurité matérielle. Ou plus exactement, d'une certaine stabilité. Ça lui est impossible. Il n'a jamais connu de stabilité ni de sécurité matérielle. Ou autre. Il ne peut pas en avoir la nostalgie. Son élément c'est la bagarre, la violence, une ville, un monde hostile. Des fois il a juste envie de se tranquilliser un peu en dedans de lui, dans son ventre, pis de voir les autres faire pareil. Quand il est tanné, c'est dans ces moments-là qu'il pense à la même chose que tout le monde : au bonheur. Mais ça lui passe. Comme à tout le monde ? On oublie vite une chose impalpable. Si on essaye de la concevoir, on la conçoit floue. Nuageuse. Tout le monde a pas les loisirs nécessaires pour nager en pleine métaphysique.

Mais Ti-Jean est pas le genre à raconter sa vie à tout le monde même si y écrit des fois dans des petits carnets. Le narrateur devrait se mêler de ses affaires. C'est ce qu'il va faire. Il est écrivain.

Ti-Jean pense à un bon bonheur qui enflerait le ventre. Être bombé de bonheur tout le temps. « Ça, ça serait vivre », Ti-Jean pense ça. Ti-Jean pense au bonheur du maringouin. « Le bonheur du maringouin, c'est le sang qu'y tète aux humains. Comme les sangsues. Comme Dracula. Comme les taxeurs quand on achète quèq'chose. Le bonheur, ça le fait enfler, le maringouin. Mais le maringouin y finit toujours par en péter de son bonheur. Péter avec sa petite baloune pleine de sang ! Le bonheur c'est maudit comme la vie, c'est comme le sang dans l'corps. A fin du compte, ça se ressemble, le sang, le bonheur. C'est comme trop manger... C'est l'fun, c'est l'fun jusqu'à temps qu'tu t'étouffes ou qu'tu vomisses ! Y a pas moyen d'en sortir, le bonheur c'est fourrant... » Ti-Jean pense aux grenouilles qu'y faisait fumer quand y était petit. Elles fumaient de bon cœur, les grenouilles, sans bouger, comme des grandes, ben fines, pis à fin les grenouilles éclataient. Pleines de bonheur ez-autres aussi. Elles pétaient heureuses, saoules, mais elles pétaient quand même. Comme un gars parti sur une baloune, fou comme de la marde, se tue en allant se taper sur un poteau à cent miles à l'heure. Balounes de sang.

Ti-Jean marche sur la rue Sherbrooke.

Il se dirige vers chez lui.

Encore cinq ou six minutes de marche. Quatre minutes.

Son caleçon, sa chemise sont humectés de sueur.

Il penche la tête, essuie son front mouillé sur le revers de sa main. La sueur fait des gouttes chaudasses sur ses ongles qui brillent. La chaleur emprisonnée dans sa chemise flotte et caresse comme du gaz autour de sa poitrine. Stagne. La sueur bloque à la ceinture et trempe le tissu de son pantalon brun. Sueur et chaleur flottent autour de son cou. C'est chaudasse. Il aime ça, il s'y sent bien. C'est comme si l'atmosphère devenait léger col de fourrure autour de son cou. Il leur a dit, à l'Assurance-chômage : « Gagne de maudits frappés ! » Il leur a dit, il en arrive. Il leur a dit qu'il en avait pas assez de onze piasses de prestations par semaine pour vivre : « Crisse ! faut que j'paye *dix* piasses de loyer par semaine ! »

— Qu'est-ce que vous voulez, disait le commis-fonctionaire, c'est pas notre faute. Nous autres, c'est les timbres. On calcule d'après les timbres. Vous avez travaillé pendant un an et demi mais vous avez payé seulement trente-huit cennes par semaine de timbres...

— C'est-tu d'ma faute, ça, criait Ti-Jean. J'gagnais rien qu'vingt-six piasses par semaine, crisse ! Ch'travaillais pas dans l'bureau, moé, ch'servais au comptoir !

— Ch'sais ben, monsieur, mais qu'est-ce vous voulez...

— J'veux plusse, crisse, c'est toute !

— On peut pas...

— Pas d'affaires, tabarnac ! Onze, c'est pas assez ! C'est moé qui le sais ! Chus pas pour manger mon matelas, ma concierge va me l'faire payer !

Ti-Jean avait essayé de se calmer un peu.

—Écoute, chose, Ti-Jean disait. Ch't'en veux pas à toé, là, c'est pas ça, mais faut ben que j'mange, colisse... Une piasse par semaine, c'est pas vargeux, chus rendu qu'y faut que j'quête à du monde pis à des tchommes sur a rue.

— Voyons don'...

— Crisse, je l'sais, moé : chus moé !

C'est ce jour-là que Ti-Jean a compris que son fils valait quatre piasses par semaine. Jusqu'à maintenant Ti-Jean avait rien fourni pour payer la pension du petit, c'était Philomène qui s'occupait de ça. Lui, Ti-Jean, dans l'fond, y s'en crissait du petit. Y s'était pas souvent demandé à quoi ça pouvait servir, un petit. Y s'en est aperçu quand y a déclaré son petit comme « personne à charge » au commis-fonctionnaire de l'Assurance. Le prix de la pension du petit, il leur a dit que ça coûtait dix piasses par semaine. Y en ont donné quatre de plus pour sa « personne à charge », son petit. Plus onze, ça y faisait quinze piasses par semaine.

Quatre piasses de plus : c'est pas ça qui a empêché Ti-Jean de penser que l'Assurance-chômage c'était toute une gagne de chiens parce que pour payer une pension de dix piasses, quatre c'est pas assez. « M'prends-tu pour un cave ! ? » a crié Ti-Jean encore. « Chus pas un cave ! »

Pis y est sorti en maudit. Il pensait : « Ch'peux pas crouère qu'y sont pas assez caves pour pas savouèr que l'quat' piasses m'as l'garder pour moé. Ou ben donc y s'en sacrent, c'est toute. Pour moé, c'est ça, y s'en sacrent de qu'est-ce est qu'j'vas faire avec le quat' piasses... Y s'sacrent de moé pis du p'tit ! »

Une chance pour le petit que c'est Philomène qui paye la pension — quand elle peut. Ti-Jean sait qu'a peut dans le moment : elle a commencé à travailler dans une manufacture à cigares. Ça paye un peu, le tabac. D'ailleurs, chaque fois que Ti-Jean se roule une cigarette, il pense à Philomène. Mais c'est pas dans les cigarettes ni dans les rouleuses que Philomène travaille, c'est dans les cigares. Lui, des cigares, y peut pas s'en payer. Au début, quand Philomène a commencé, ça l'achalait, ça l'mettait en crisse c't'affaire-là. Mais y a fini par se faire une raison : « Fuck les cigares », qu'y a fini par se dire. « Du tabac, c'est toujours du tabac. Faut rouler. Les tout-faites, c'est trop cher. Chus chômeur. »

Chômeur.

Yves, lui, y chôme pas. Y brette, y fouine. Y marchait sur la rue pis y a vu Ti-Jean qui revenait chez lui. Yves a traversé la rue.

Y s'est rapproché de Ti-Jean.

— T'es pus avec Philomène ?

Ti-Jean s'est retourné.

— Han ?

Il a regardé Yves. Il reconnaissait pas Yves. Le soleil faisait comme une buée autour de ses yeux. La rue Sherbrooke au coin de Saint-Laurent chauffait, même si on était en plein septembre.

— T'es pus avec Philomène, a répété Yves, je l'ai vue...

— Han ?

Ti-Jean le reconnaissait astheure. C'était le *p'tit crisse de morviat*. C'était Yves.

— Ben oui, disait Yves, j'l'ai vue monter dans chambre à Bouboule avant-hier...

— Ouais... ?

— Ouan. Ch'savais pas ça, l'bonhomme.

— Han ?

— Ch'savais pas qu'ta plote allait se l'faire faire par Bouboule. Paraît qu'y connaît un maudit paquet d'trucs cochons !

Ti-Jean regardait Yves.

En fait, y regardait là où Yves se trouvait encore une seconde avant. Yves était parti. Ti-Jean voyait plus rien. Yves était parti, il avait planté Ti-Jean là. Ti-Jean restait là, vide, au neutre. Savait pas quoi penser. Savait plus. Y était comme Yves, lui aussi : y « savait pas ça ». Il pensa un instant : Bouboule pis Philomène ?... » Secoua la tête. Ça se pouvait pas.

14

Ti-Jean s'était remis à marcher sur Sherbrooke.

Il pensait, c'était plus fort que lui, il pouvait pas rester au neutre, ça s'était remis à tourner dans sa tête : « C'est à savoir si c'est vrai, ça. Yves, ch'sais c'que c'est, avec sa petite maudite face hypocrite. Y prend plaisir à rire des autres quand y sont dans le trou ou sur le bord du trou, ch'connais ça. Pour moé, y invente ça, Philomène pis Bouboule, y invente ça pour se revenger de moé parsque j'l'ai sacré à porte de chez Louise... »

Ti-Jean pense que de ce temps-ci il voit Philomène... « de temps en temps ». Quand il la trouve. « Une ou deux fois par semaine, j'pense... » Faut dire : Philomène est dure à trouver. Le reste du temps, Ti-Jean cherche du travail sans trop zéler. Il bomme un peu. Il prend un verre. Deux verres. D'autres. Des bonnes draffes fraîches. Il s'enferme dans sa chambre pour lire un journal. *Détectives. Allô Police.* Y écoute la radio. C'est à peu près sa semaine. Ti-Jean n'est pas sociable.

Ti-Jean voit Philomène une ou deux fois par semaine, Ti-Jean pense à ça dans le moment. « Oui, c'est ça, à peu près... » Philomène est difficile à trouver. Il prend sa botte avec, « crottes pas crottes... » Quand il se la sort sanglante, il se dépêche à s'la laver : « Les maladies, les torrieuses de maladies ! Comme Georgette dans *Détectives* ! J'ai pas envie de me r'trouver avec la poche grosse de même ! Pfouah ! »

Une fois par semaine ou deux. Il voit Philomène. « Plutôt une fois par semaine que deux, c'est vrai... » Dans l'temps que Philomène habitait sur la rue d'Iberville, ils se voyaient plus souvent. Ils écoutaient des disques ensemble. Après, y allaient prendre une marche dans les rues désertes. La rue d'Iberville déserte la nuit. Silencieuse... Le carrefour Masson-d'Iberville. Les deux tunnels qui se croisent par en dessous. Comme un crucifix dans terre. Les deux tunnels jaunes-verts de réverbères. C'était renfermé, même dehors... Froid... Même en été. *Vide. Vide. Vide.* Lui pis Philomène marchaient tous les deux, des fois y marchaient jusqu'au parc Lafontaine. Disaient pas grand-chose. Une fois, y s'étaient mis dans l'tunnel Masson, ça leur avait pris d'un coup. Ti-Jean l'avait plantée de côté, par en arrière. Philomène aimait ça. « Toujours dans l'lit, c'est plate », que Philomène disait. Ti-Jean disait pareil. Après, Ti-Jean avait toujours le goût de s'en aller. Partir. Partir quand c'était fini. Philomène essayait de le retenir. Alle a essayé longtemps de le retenir.

Astheure, Philomène le retient pus pantoute.

Ti-Jean la voit pas plus qu'une fois par semaine. Même pas, si y pense bien. « Même pas... » En tout cas y sait qu'c'est chez Louise qu'y la voit. Ti-Jean trimbale régulièrement sa grosse face pis ses grosses mains dans l'appartement de Louise. Sur Duluth. Quand c'est pas Philomène qui est là, des fois y a Louise. Ti-Jean aime la rue Duluth : c'est près du parc Lafontaine. Y a pas de magasins sur Duluth, pas de restaurants, c'est tranquille. Louise est pas toujours là. Des fois a part pour deux, trois jours, trois semaines. Philomène... Ça fait une semaine maintenant qu'il l'a vue, Philomène. À peu près. Quand y a besoin d'elle y sent une faim dans son ventre, un pognage autour de la graine. À lécher Philomène comme le dernier des affamés, Ti-Jean reprend goût à la vie ; il retrouve le goût de la vie, le temps de frissonner, de trembler comme le pont Jacques-Cartier, jusqu'aux os, de trembler comme la passerelle des piétons quand les dix tonnes écrasent la chaussée, la rage au moteur, saoulés d'eux-mêmes.

Chaque fois qu'il la voit, Philomène en gémit de surprise. Ti-Jean trouve toujours des nouveaux trucs. « Bouboule aussi y en connaît des trucs cochons, pense Ti-Jean. C'est ça qu'Yves y dit... Y en connaît-tu plus que moé... ?

— *Philomène,* murmure Ti-Jean en marchant sur la rue.

« Philomène a pourtant pas l'air d'une femme qui trompe », pense Ti-Jean. Ti-Jean pense que c'est vrai qu'elle a le temps de le faire avec d'autres. « Mais pourquoi ?.... » C'est vrai qu'elle a le temps mais ça va pas trop mal de c'temps-ci entre elle et lui. Ça fait un bon bout de temps que Ti-Jean lui a pas rabattu son gros battoir de main sur la tempe dans un mouvement d'impatience parce qu'un gas sur la rue avait regardé Philomène d'un bout à l'autre, de la boîte aux orteils pis de la tête aux tétons. Quand Ti-Jean la battait, Philomène lui disait qu'elle finirait par casser avec lui. Ti-Jean y avait dit : « Si tu fais ça, ch'te tue. » Pis Ti-Jean avait décidé de se contrôler. Y avait essayé. C'était pas facile. Mais faut s'faire une raison : « C'est une maudite belle petite boîte, Philomène... »

Ti-Jean continue à marcher sur Sherbrooke en pensant.

« Philomène a pas l'air d'une femme qui trompe. Mais les femmes qui trompent ont peut-être l'air de toutes les femmes... »

Yves.

« Yves, le p'tit crisse ! Y a peut-être jusse voulu m'faire chier avec son affaire de Bouboule... Me niaiser. Paraît qu'c'est un gars comme ça, Yves, on dirait que y en veut à tout l'monde... Surtout à moé, à cause de Philomène. Y a pas tort d'en vouloir à tout l'monde... Moé aussi, j'en veux à tout l'monde. Moé aussi, crisse, j'm'accorde avec personne. Fuck ! »

Ti-Jean continue à marcher, perdu dans les pensées qui commencent à battre dans son crâne comme des rapides sur des roches, comme des vagues dans un canyon.

« Mais moé, au moins, j'me mêle de mes affaires !... Ch'fais pas chier l'monde pour rien... Ch'conte pas d'menteries !... Yves c't'un chieux !... Ça doit être pour ça qu'y prend des moyens d'trous-d'cul pis que y essaye de m'faire chier ! »

Ti-Jean marche. Des tics dans le visage. Ça tourne, ça s'garroche dans sa tête. « Philomène avec Bouboule... ? ! Voyons donc... Ça s'peut pas... J'me fais des idées pour rien... Ça s'imagine pas, ça, Bouboule avec Philomène... Les mains à Philomène qui griffent les fesses à Bouboule quand Bouboule y la... Hey ! C'est des histoires à ma grand-mére, ça !... Philomène a pas de raisons d'faire ça. »

15

Ti-Jean tourne sur Jeanne-Mance. Il descend vers la maison de chambres. Il a pas dormi la nuit passée avant d'aller à l'Assurance-chômage. Il a veillé. Il s'est promené dans les rues, il a bommé pis y a un gars qui y a passé une piasse. Ti-Jean arrivait pas à dormir. Et Ti-Jean prend goût à son insomnie. Il prend goût à la fatigue chaudasse qui flotte à sa poitrine quand il marche depuis longtemps... La sueur... Une épaisseur d'atmosphère chaudasse sur tout le corps... le long de ses jambes... à ses chevilles.

Il a descendu la rue Jeanne-Mance et il est arrivé à sa maison de chambres. Pas celle de la rue du Parc : sur du Parc, y a laissé tomber, Philomène voulait pas de la chambre. Pis y aurait pas pu lui payer la chambre. « Ça m'apprendra à m'prendre pour un gars qui peut payer une chambre à sa femme... Chus pas un mari... Ch'serai jamais un mari... Ti-Jean peut pas payer, c'est toute, maudite marde ! »

Ça fait une couple de semaines qu'y vit sur Jeanne-Mance.

Il arrive à la première porte, en bas. Il empale la serrure avec sa clé. Il entre et il referme la porte derrière lui. Il monte l'escalier. Au deuxième, il empale l'autre serrure, celle de sa chambre, avec son autre clé. Il entre.

Un plafond trop haut. Une table blanche en grès, une table qui fait grincer des dents quand on la gratte avec l'ongle.

À côté de la table, sur la gauche, un frigidaire trop gros, trop vaste pour ce qu'il peut y mettre. À droite de la table, c'est l'évier blanc, crasseux, classique, c'est écrit en dessous : *Royal Doulton made in England*. Un miroir est suspendu au-dessus de l'évier, un miroir d'un pied de largeur par deux pieds de hauteur. Un miroir sur fond gris verdâtre : un mur jamais lavé, plein d'éclaboussures de graisses pis de savon, un mur aux teintes sombres, crasses, indéfinies. Des teintes pleines de formes, pleines de mondes. Dans le miroir : la face à Ti-Jean pis ses épaules. Dans le miroir, à l'arrière-plan : la fenêtre. Trop haute et trop large, la fenêtre, avec ses deux battants aux carreaux étroits. Les vitres sont toutes craquées. Les craquelures ressemblent à des toiles d'araignées, à des minces rayons de soleil figés, à des lamelles de soleil cristallisées. La chambre est trop grande, beaucoup trop grande pour Ti-Jean tout seul. Pas cher mais grande, trop grande. Son lit, c'est un lit double. Quand Philomène vient, c'est là qu'y fourrent. Ou à terre. Une fois y l'ont faite dans le passage, collés sur la rampe. Philomène est venue dans sa chambre deux fois. Trois ? Ti-Jean pense comme faut. « Trois fois, pas plus... Ch'sais pus, ch'sais pas... » Ti-Jean compte pas les fois. Peut pas. L'effort le fatigue. La chambre est écho. La chambre est trop grande et trop vide. C'est sombre.

Ti-Jean allume.

Mais y trouve d'un coup que c'est trop clair avec les pochettes du plafond allumées. Pour rapetisser la chambre, pour la rétrécir, Ti-Jean allume la veilleuse jaunâtre au-dessus du lit double. Puis il va éteindre les pochettes du plafond. En revenant, son œil accroche les journaux sur la table. Quelque chose de noir dépasse en dessous des journaux. Il va voir. Tire sur l'objet. Un carnet. Un petit carnet noir. Y avait oublié. Son carnet. Y en a deux trois autres comme ça. Avant y écrivait dedans. Y écrit pus dedans. Y écrivait toutes sortes d'affaires. « Fuck », pense Ti-Jean en lançant le carnet noir sur la table qui s'immobilise sur les journaux comme une tôsse brûlée.

Il va s'asseoir sur le tchesteurfilde adossé à la fenêtre.

Un sprigne a braillé.

Ti-Jean s'est relevé et va s'étendre sur le lit. Une trentaine de secondes. L'électricité déverse son fil de lumière rétrécissant par l'œil de la veilleuse. Ti-Jean se relève, le visage crispé. *Une fraction de seconde.* Il s'est dirigé vers le miroir où il a vu *ça.* Dans le miroir. Une fraction de seconde. Comme si ça avait faite *crac* ! *Bouboule.* Dans l'miroir. Y a vu Bouboule. « C'est impossible, crisse, c'est parsque j'pense trop à lui... » Il secoue la tête, se frotte vigoureusement l'occiput comme pour s'enlever Bouboule de la tête, l'enlever de la chambre. « Le crisse, j'pense trop à lui, j'pense trop... » Puis il se regarde encore comme faut dans le miroir. « Je l'savais, crisse, que j'étais pas lui, hostie. C'est moé, ça, chus *moé* ! C'est pas lui. C'est mon hostie d'face à moé, crisse, pas la sienne ! »

Il retourne au tchesteurfilde. Il s'assoit sur le rebord arrondi et ferme dont il frotte lentement, distraitement, le tissu rêche et usé. Il s'est assis lentement et le sprigne a pas braillé.

Ti-Jean, assis, regarde autour de lui, distraitement, sans curiosité, froidement, comme une caméra...

Bouboule dans sa tête, étendu sur Philomène.

Un film dans sa tête.

Des images...

Des sons...

Le halètement des corps essoufflés lui coule dans les trompes d'Eustache... Il voit le téléphone immobile à terre sur le prélart comme un gros crapaud noir. Gras. Le Bell lui a coupé le téléphone, ça fait un bout de temps. *Isolé*. Ti-Jean ne vit plus depuis longtemps au même rythme que le reste du monde. Il ne tourne plus dans l'engrenage du commerce, des emplois, des échanges. Il ne tourne plus à la vitesse des sonneries des téléphones, des télégrammes, à la vitesse des messages... *Isolé*. Ça laisse du temps pour penser... Ça lui laisse le temps de s'arrêter aux images qui grouillent, qui surgissent, qui titubent dans sa caboche. Et maintenant, c'est presque comme si elles étaient devant ses yeux, les images... *« Comme tout à l'heure dans le miroir ! »* Les pensées... Bouboule... Bouboule et Philomène...

(« Yves, y a-tu menti... ? »)

Ti-Jean secoue les épaules, se frotte les cheveux sur l'occiput, frotte. Ses mains tombent molles sur ses cuisses, ses bras sont vidés de force.

(« Bouboule... Ouaach !... »)

Les épaules de Ti-Jean sursautent. Il se sent comme une fillette de la ville qui vient de piler sur une couleuvre. Il regarde les journaux, les revues sur la table de grès. Des histoires de plotes.

(« Ha, d'la marde !... J'ai faim... M'as manger... L'frigidaire. »)

Ti-Jean se lève, ouvre le frigidaire, prend un salami, croque dedans. Du croquant se coince entre ses deux incisives comme un bout de corde, il tire dessus, ça fait mal, il tire, furieux, il l'arrache.

Ti-Jean retourne lentement s'étendre sur le lit double. La sueur. Il ne sent plus la sueur sur son corps maintenant qu'il ne bouge plus. « C'était bon la sueur. Ça enveloppait. C'était chaudasse... » Ses yeux se ferment.

Lentement.

Sommeil.

Engourdissement.
Asphyxie.

16

La fenêtre quadrillée de sa chambre découpe des carrés de nuit bleue.

Tout s'agite dans la chambre de Ti-Jean, un bruit confus.

Sur le tchesteurfilde, sous la fenêtre, des corps s'empilent et grouillent des pattes, des bras, des troncs, des têtes.

Quand l'amoncellement se secoue, des rires rebondissent jusqu'à Ti-Jean comme des provocations hargneuses, comme des morpions qui viennent se loger là où on ne peut pas les extirper, comme des petites bêtes dans ses oreilles qui se mettent à creuser, hargneuses, des provocations hargneuses. Ça sile.

Et soudain il la voit : Philomène. Elle s'écoule lentement du tas de corps comme un couteau de caoutchouc ou comme le blanc mou évacué du tube de pâte à dents par une pression de paume. Ça sort comme le blanc incertain d'une acné pétée.

Philomène est pâle. Lente et terriblement pâle, la tête enveloppée par ses cheveux noirs, humides, qui lui tombent sur les épaules.

Philomène se dresse tout d'un coup comme un serpent pris sous le charme d'une musique de flûte. Ti-Jean l'observe. Philomène ne le voit pas. Mais elle se sait observée et elle est pâle.

Elle s'est dressée. Elle s'est dressée et se tient debout sur ses talons hauts.

Elle tourne maintenant le dos au tas informe de mâles et de femelles. Dans le tas, il y en a des vieux, cheveux blancs, édentés, avec des lunettes épaisses sur le nez. Philomène avait déjà dit à Ti-Jean qu'un homme à grosses lunettes épaisses l'avait suivie pendant des mois sur la rue quand elle était enceinte. Un jour, elle l'avait vu de proche. C'était une espèce de cave, qu'elle avait dit. On pouvait pas voir ses yeux. À cause des lunettes.

Puis les têtes se sont mises à étirer les cous jusqu'à Philomène, leurs cous élastiques qui amincissent en s'étirant et qui semblent vouloir se briser d'un coup, se briser en pétant, en faisant *clac* ! comme des petites cordes à paquets ou des élastiques distendus.

Les bouches s'agrandissent démesurément. Astheure, dans les bouches, c'est des tunnels qui s'éclairent au néon. Des bruits croulent dans les gorges comme dans des longs gorgotons phosphorescents et échos, des bruits comme des tremblements de moteurs de poids lourds, des bruits de camions *Mack,* des bruits de chars, de pneus, des vrombrissements de moteurs comme si toute la ville et tout le traffic du pont Jacques-Cartier venaient se jeter dans le lit et dans la chambre.

Puis les têtes se ferment la gueule, elles rentrent d'un coup dans le tas de corps, elles retournent d'où elles ont émergé, aspirées dans la masse.

Une main germe maintenant du monticule de corps.

C'est une main lisse et blanche aux doigts longs. Les doigts donnent une impression de puissance même s'ils sont fins. Ils appartiennent à une main de jeune fille qui se ride tout d'un coup et qui se met à caresser les jambes de Philomène, les mollets fermes à Philomène, ses mollets minces. Les mains grouillent et cacassent partout autour comme des commères, comme des gros épis de doigts qui jacassent comme des pisseuses de balcon, des mains nasillardes, ahurissantes, avec des brefs accents durs : « Mémèèène... Mémèèène... »

Les mains commencent à étirer les bras comme tout à l'heure les têtes étiraient les cous. Puis les mains se rident, se plissent puis rentrent, séchées, arides, dans l'informe amas mouvant et commérant comme les maudites grosses têtes de peupéres à lunettes épaisses l'avaient fait avant.

Un sexe surgit maintenant de l'amoncellement. Il apparaît et monte à la manière d'une plante dont la pousse est projetée en accéléré. Le sexe retrousse la jupe foncée de Philomène, un peu comme une tête de veau retrousse à petits coups de mufle le pis d'une vache. Le sexe sait ce qu'il veut, où il va, on dirait qu'il a des yeux. Il retrousse la jupe jusqu'au slip rose puis il se cabre et force le slip en frottant, frottant.

Philomène a soudain crié en écartant les jambes.

Le sexe a percé le slip rose.

La déchirure du slip s'effiloche comme les drapeaux déchirés dans les films de guerre. Les cuisses de Philomène se mouillent de jus rouge puis c'est tout le corps qui rougit et le visage pâle de Philomène devient rouge aussi. Ti-Jean voit tout et Philomène se sent observée, elle rougit, elle rougit comme une tomate en sang.

Puis toute la masse mouvante rougit tout à coup. La masse hoquette ridiculement, un haut-le-cœur la secoue, une croix surgit du monticule, une lourde croix rouge. Ti-Jean pense au mont Royal. La croix du mont Royal. La croix est élastique. Élastique comme les bras, les pattes, les cous. Les mains surgissent de nouveau, empoignent la croix et la secouent en l'attirant vers l'amas.

Et soudain les mains lâchent prise.

La croix se met à rebondir d'tous bords, tous côtés.

Philomène a éclaté de rire.

Le rire de Philomène, c'est rare.

Et le rire que Ti-Jean vient d'entendre est aigu, agaçant. « C'est les nerfs, ça, les maudits nerfs », pense Ti-Jean. Ti-Jean les voit rougir les « maudits nerfs », il les voit se ramasser en boule dans gorge de Philomène, une boule qui enfle au fur et à mesure que le rire de Philomène se prolonge. Les nerfs sont comme des vers de terre bruns, rougeâtres, luisants. La boule enfle, enfle. Elle prend maintenant toute la place de la tête. Philomène, exaspérée, saisit la boule de nerfs que sa tête est devenue en l'égratignant rageusement, en criant : « Ti-Jean, va-t'en !... J'veux pus t'voir ! » Elle crie. Elle vient d'apercevoir Ti-Jean. Elle crie encore. Elle hurle. Elle hurle comme une perdue. Des sexes se mettent à surgir de partout, à se jeter dans son vagin, à l'élargir. Puis c'est les mains, les pieds, les ongles, les bouches édentées qui se mettent aussi à surgir de l'amas (qui hurle et qui hoquette et qui grince et qui râle) et déchirent la jupe de Philomène, ce qui lui reste de slip, sa blouse, sa brassière, déchirent, déchirent comme on déchire du papier journal.

Quand Philomène a éclaté de rire et que Ti-Jean l'a entendue, Philomène regardait Ti-Jean. Elle l'a vu s'enrager. Philomène a maintenant retrouvé sa vraie tête, ses yeux noirs, ses cheveux noirs, son visage pâle. Et Ti-Jean, qui écoute les sons qui sortent d'elle, ne sait plus si elle rit ou si elle chiâle. Il a sauté sur son lit double, enragé. De la main gauche il a saisi Philomène au cou et s'est mis à la faire tournoyer comme une fronde. Les ligaments qui la retenaient à l'amoncellement de corps ont pété comme des cordes à paquets. L'amoncellement de corps a aussitôt fondu en disparaissant. Ti-Jean criait : « M'as t'casser en deux, ma crisse ! M'as t'casser en deux ! » De la main droite il a saisi au vol les chevilles de Philomène. Il la tenait maintenant par les chevilles et par le cou et d'un coup il l'a rabattue sur son genou levé, il l'a cassée en deux comme on casse une branche de bois sec et il l'a garrochée par la fenêtre.

17

Ti-Jean s'est assis sur le bord du lit. Épuisé. Vidé. « Ça fait du bien... Ça fait du bien, des rêves fatigants comme ça... Ça vide, on dirait... L'hostie ! J'l'ai pitchée dehors. »

Ti-Jean s'est levé debout. Lentement. Il s'est frotté les yeux.

Puis il s'est mis à marcher dans la chambre.

De temps à autres il entend, sur la rue Jeanne-Mance, le froissement tiède d'une auto qui monte la côte. Le bruit d'un moteur... « C'est doux... Ça fait pas d'bruit, du caoutchouc. Ça fait pas d'mal à personne... »

Ti-Jean s'accoude au châssis de la fenêtre, les mains sur les vitres. « Je l'ai pitchée dehors, la chienne ! » Il pense : « J'voudrais qu'a soye pus r'gardable !... Que pus personne y mette jamais la patte dessus... Excepté moé... Moé... Rien qu'moé, crisse !... »

Bouboule. Il pense à Bouboule. Il se remet à marcher dans la chambre. « Bouboule, ça doit être vrai ! Ça doit être vrai c'qu'Yves dit ! C'est rien qu'un p'tit crisse de morviat comme Yves ! C'est rien qu'un p'tit crisse de morviat ! »

Une idée commence à s'étirer les bras dans le crâne à Ti-Jean, à se réveiller, floue encore. « M'as d'y casser a yeule à c'te chien sale-là ! »

Il s'arrête de penser un instant.

Il halète. Son cœur bat.

Il se remet à marcher.

Il pense : « M'as d'y péter a face ! »

Il pense : « Le tuer... »

Il se mort la lèvre, lentement, la savoure. « Le tuer, oui ! à coups de poings... À coups de pieds ! »

Ti-Jean secoue la tête, les épaules. Il essaie de chasser l'idée qui grimpe dans son cou, dans ses nerfs, dans son corps. Il se frotte la tête. « Vouèyons. Vouèyons. Pas l'tuer... Écoute, Ti-Jean... On tue pas pour ça... ! »

Il secoue la tête. Il marche de long en large. « Non ! Y en a d'autres qui l'ont faite, ça !... Ça s'appelle « crime de passion », ça... Crime passionnel... C'est des jaloux qui font ça !... Y en a dans *Allô Police*... »

Il secoue la tête, se mord la lèvre, il jouit de sa lèvre, il jouit, quelque chose, il jouit. « Chus jaloux ? Moé... ? »

Il s'arrête, regarde le plancher.

« Crisse, c'est ça, calvaire, chus jaloux... »

La veilleuse est passive, elle semble inattentive aux idées de meurtre de Ti-Jean. Ti-Jean va se rasseoir sur le lit. D'un coup il frissonne de partout, secoué. Une fraction de seconde de frissonnement qui lui rentre le menton et lui hausse les épaules : il l'a *encore* vu. Dans sa tête. Comme devant lui. Il l'a vu. Comme dans le miroir. Tout à l'heure. Pis elle aussi. Les deux. Bouboule dans sa tête vient s'étendre sur Philomène. C'est comme s'ils étaient tous les deux étendus grandeur nature sur ses paupières, par en dedans, devant ses yeux fermés.

Un souffle léger, un vent doux mais frais qui entre par la fenêtre vient coller sa chemise de coton sur son dos humide de sueur. « C'est une manufacture à peurs, ma tête... C'est comme si c'était des champignons qui poussent dans l'humidité, des idées comme ça. »

Il voudrait pas penser mais ça continue. Bouboule. « Bouboule, c'est un hostie d'chien ! Pour moé, Yves y a raison... C'est vrai, colisse, Bouboule y couche avec Philomène... Y... Crisse ! Y d'y met sa graine dans yeule pis à l'aime ça... ! A s'laisse faire... Bouboule, c'est un bomme, crisse. Y vend d'la dôpe. C'est un écœurant. Pis toé, Mémène t'es bonne à licher, tu goûtes bon en crisse dans minoune ! Pis t'es cochonne, p'tite crisse. Bouboule doit aimer ça... L'écœurant... C'est un maquereau, Bouboule... Moé aussi, chus t'in maquereau. Mais c'est lui ou ben don' c'est moé, dans vie c'est d'même qu'ça marche !... Pis elle, m'as t'la casser en dix... En dix, tabarnac ! En dix ! M'as é tuer tous é deux... ! »

Ti-Jean s'empare de son tabac sur la table de grès. Sa main tremble. Il tire son papier à rouler du paquet de tabac. Il prend un papier, prend un tapon de tabac dans le paquet, se met à rouler. Petite grêle de tabac blond, petite grêle imperceptible, bruine de tabac blond sur le prélart, dans les fougères grises du prélart, dans les feuillages usés. Tabac mou, malléable, plastique, mollement tassé dans le papier qui tremble et se froisse et s'enroule autour du tabac sous la pression des gros doigts de Ti-Jean. Coup de langue sur le collant du papier.

Les plantes des pieds de Ti-Jean collent aux fougères fraîches du prélart gris. « Bouboule, toé, m'as t'tuer ! »

L'idée a pas cessé de brûler dans sa tête. Ti-Jean essaye plus de chasser l'idée. L'idée se tient droite, debout dans sa tête.

« Chien sale ! » crie Ti-Jean dans sa tête. « Chien sale ! » Il écrabouille sa cigarette allumée dans sa main moite. Il ressent à peine la courte brûlure. Il lance rageusement la petite mie de tabac humide et de papier contre le mur. Il frotte la paume de sa main sur l'autre. Il les frappe. Il les frappe l'une contre l'autre comme des cymbales.

18

Philomène remonte la rue Crescent. Elle bifurque sur sa gauche. Elle monte un escalier vert en bois. Elle sonne.

Elle attend.

Il est environ huit heures trente du soir. « J'espère qu'est là... » La peinture verte, sur l'escalier, s'écaille. Sous la peinture racornie qui retrousse apparaissent des taches de bois gris. Philomène attend. Le concierge répond. Philomène avale sa salive.

— Oui, mad'moiselle ?...

— J'voudrais voir Berthe Larue, est-ce que...

— Minute.

Le concierge se met à monter lentement vers le deuxième plancher. Il monte l'escalier lentement, comme un petit enfant, marche par marche. Il pose un pied à côté de l'autre sur chaque marche.

« Ça finit pas... c'est long... », pense Philomène.

Philomène est tannée : « Les petits vieux, c'est toute de même, ça fait perdre du temps à tout le monde, ça pue. Ça sent l'tabac. Ça sent l'crachouèr. Pis ça meurt pas, ça reste, ça veut pas partir ! J'espère qu'y sait quel appartement, au moins ! J'me demande comment ça se fait qu'à reste icitte, Berthe ! ? »

Le concierge redescend comme il est monté, à la même vitesse, avec une lenteur de pompes funèbres.

— Mad'moiselle..

Il n'a pas le temps de terminer sa phrase. Philomène s'est avancée vers l'escalier. Elle trottine en grimpant deux marches vers le vieux.

— Mad'moiselle Larue est-tu là ?

— Oui, oui... mad'moiselle, répond le vieux. Qu'est-ce que c'est, vot' nom ?...

Philomène écoute pas. Elle passe tout droit. Elle monte. Berthe, c'est l'appartement huit. Elle est mince, Philomène. Ses cheveux noirs sautillent sur ses épaules. Ses mollets sont fins, rosés. Ses hanches sont encore élargies par sa récente grossesse.

Berthe regarde Philomène monter. Berthe l'attend, adossée au cadre de la porte, sa jambe effilée croisée devant l'autre. Elle porte un short. Ses cuisses sont fermes et élancées. Ses mollets aussi, nerveux. Un muscle latéral fait saillie, une saillie à mordre. Sa blouse blanche est déboutonnée. Philomène voit la brassière. Noire. Ses cheveux bruns en coupe-chat. Philomène se dirige en trottinant vers la porte de l'appartement. Berthe a les yeux bruns, doux, le visage rond et agréable, les lèvres minces, sensibles, un peu sèches, pas trop sensuelles. Berthe pense : « Les lèvres de Philomène... J'aimerais les caresser... avec les doigts... avec... Je les baiserais. Elles sont charnues. Elle vient pour se donner. Son corps est mince, délicat... »

Philomène arrive. Sourit

— Bonjour, Berthe...

— Bonjour. D'la visite rare...

— On est occupé, tu sais, dit Philomène.

— Oui ?

— Hum...

67

Philomène entre et va s'asseoir sur le fauteuil dans le coin de l'appartement. L'espace d'une seconde, elle voit Berthe, de dos, qui referme la porte. La blouse tombe, légère, sur son short rouge. Philomène voit Berthe de dos. La blouse de Berthe est déboutonnée : « A l'a faite exiprès. »

Philomène a soudain le goût de se sentir bien. Berthe produit sur elle une sensation, un sentiment de sécurité. Une sensation de discrétion, de sécurité, de confiance en elle. Berthe semble tendre. Masculine et enveloppante.

— Comment vas-tu, Mémène ?

— Assez bien...

Et en même temps, Philomène se sent mal à l'aise. Elle ne sait pas quoi dire en présence de cette fille instruite et distinguée. Philomène a tourné son regard vers la fenêtre. La fenêtre est ouverte pour laisser pénétrer l'air mais les persiennes brunes sont refermées et Philomène ne voit pas les façades des maisons de l'autre côté de la rue.

Elle se tourne encore vers Berthe qui la regarde, debout, la main droite sur la hanche droite qui saille. La blouse est toujours ouverte.

— Berthe...

— Oui... Tu veux boire un verre ?

— Oui, ça m'f'rait du bien...

Berthe va dans la cuisine. Philomène a envie de se laisser aller, de se sentir bien. Elle sait que Berthe « le dira pas », est pas assez coucoune pour bavasser, elle va garder ça pour elle, Ti-Jean le saura jamais. Berthe revient.

Philomène boit son verre de Martini.

Elle pense au fait que Berthe a de l'argent, que c'est une étudiante, qu'elle sait beaucoup de choses. Elle parle bien, elle est instruite, elle a toujours de l'argent. Et

Philomène pense qu'elle, Philomène, a présentement besoin de dix piasses.

— Berthe...

— Oui.

— J'ai encore besoin d'argent... J'm'excuse mais qu'est-ce tu veux, han ? quand tu gagnes trente-cinq par semaine pis qu'tu payes la pension d'un p'tit bébé... J'arrive pas... Franchement, j'arrive pas...

Berthe est allée s'étendre sur le tchesteurfilde.

— Ça doit pas..., fait Berthe, sur un ton distant et teinté de mépris.

Brusquement, du bout du pied, Berthe projette par terre un livre qui traînait sur le divan : *Les fleurs du mal*. Philomène connaît ça. Berthe voulait qu'elle le lise, le livre. Philomène a lu deux, trois poèmes dedans. La lecture, elle aime pas tellement ça. Des fois, le livre, c'est beau. Des fois, ça écœure. Mais elle aime ça se faire écœurer un peu, elle le sait, elle est comme ça. Elle finit toujours par se laisser faire. Elle pense à Ti-Jean. Elle a des bleus partout quand elle couche avec. Il mord. Ils se griffent et se mordent l'un l'autre. Elle aime ça. Comme lui.

— Combien, Mémène ?...

Philomène lève la tête vers Berthe. Aucune expression sur le visage de Berthe. Sauf les yeux qui brillent, bruns. Qui brillent, puissants, victorieux. Philomène baisse un peu la tête, elle regarde Berthe les yeux par en dessous comme une chienne craintive et reconnaissante.

— Dix piasses... dit Mémène.

Berthe se lève. Marche vers Philomène. Philomène la regarde s'approcher en relevant la tête. Philomène se laisserait faire. Elle aimerait ça. Elle le sait. Elle réagirait pas. Berthe a la peau brune. *« Une femme instruite »*, pense nébuleusement Philomène, « c'est pas une folle, Berthe... Elle a de l'argent... »

— Lève-toi un peu, dit Berthe.

Le cœur de Philomène se pince. Elle obéit. Berthe pose les deux mains sur ses épaules : « Je n'ai pas d'argent présentement mais je peux passer chez mon père. À dix heures ou onze heures je serai en mesure de te les donner. »

Philomène approuve de la tête en silence. Son cœur se pince encore. Berthe est de sa grandeur. Son nez délicat, ses lèvres minces, ses grands yeux bruns, sa coupe-chat, tout ce brun-là c'est doux, c'est tendre ; c'est mâle et c'est tendre en même temps.

— Ben écoute, dit Philomène. À dix heures, tu dis ?... (Elle toussotte.) Dans ç'cas-là viens chez Louise. La connais-tu ?

— Hum...

— Est partie en vacances pour deux semaines, dit Philomène. A m'a laissé ses clés. C'est sur la rue Duluth. Va falloir que j'aille travailler cette nuit pis j'ai des affaires à faire chez moé... Si tu pouvais venir, ça serait parfait.

— Quelle adresse ? demande Berthe.

— 520 rue Duluth... L'appartement onze.

Berthe prend un bout de papier sur son secrétaire, un crayon, se penche pour écrire. Philomène regarde la taille de Berthe, la naissance des seins sous la brassière noire, dentelée. C'est brun, c'est sombre. « A doit aller se faire bronzer en Floride, pense Philomène, est riche. »

— Bon. Je serai là, Mémène, vers onze heures moins quart.

— Oké. Merci beaucoup, Berthe, merci, j'vas t'attendre chez Louise...

Philomène se tourne et marche vers la porte, elle roucoule.

— *Mémène...*

Philomène se retourne : « Oui ? »

Berthe s'approche, pose les mains sur les épaules de Philomène en se collant le ventre contre elle, sûre d'elle : « Faudrait pas me prendre pour une gourde », dit-elle avec un sourire condescendant et bienveillant sur les lèvres.

— Une quoi ?

— Une gourde, répète Berthe.

Philomène ne comprend pas.

— In pouèsson ! glapit Berthe avec une grimace.

— Non, vouèyons, murmure Philomène d'une voix soudain presque apeurée et qui casse.

Berthe colle encore plus son corps contre celui de Philomène. Son visage. Philomène ferme les yeux.

Se laisse couler.

Sent la cuisse de Berthe forcer sa jupe.

19

— Deux !

Monsieur Cinquante avec sa ceinture fléchée sourit, accroché au mur, sourit de toutes ses grosses dents blanches comme de la broue. Un gigantesque Monsieur Cinquante en carton, sept bons pieds de carton accrochés au mur de la taverne.

Partout des mains en l'air, des têtes effouèrées sur les tables. C'est éclairé criard. C'est criard de néons. La télé glapit au-dessus du comptoir au fond de la taverne. Les ouéteurs courent, les verres toquent et déboulent sur les tables luisantes et brunes. Les bouteilles aussi. Les trente-sous tintent dans les tabliers des ouéteurs. On entend le ding   ding

        ding

déding des deux cashs que le patron et les ouéteurs ouvrent et ferment continuellement sur le comptoir en jetant l'argent dedans et en sortant le change à pleine poignée. De la broue molle déborde et bave sur les tables le long des verres de bière remplis. Fatigue mouillée, trempée dans du bruit. On tue dans la télé. Ça tire, ça tombe. « Les

Américains ont l'don, han ! ? » crie quelqu'un. « Crisse !
Deux autres ! Paul ! Deux autres ! »

Le quelqu'un, c'est Bouboule qui cale son troisième
verre.

— Crisse que tu cales vite, Bouboule ! crie un de
ses tchommes.

Bouboule rit, râle, se lèche les babines, cale son
quatrième verre. Quand il rit, on aperçoit ses deux incisives supérieures, petites, fragiles, collées l'une contre
l'autre et isolées. Toutes les autres dents de la mâchoire
supérieure manquent. Ça lui fait une bouche de lapin. Ses
cheveux sont noirs-sales, grisâtres, des poils follets au
menton, sur les joues, une tête à mourir, une face à fesser
d'dans.

— Y manque jusse le hasch !

— Ouan !

— Deux autres ! Hey, Paul ! Deux autres !

Bouboule cale son cinquième.

— Ça paye, vendre des gouffebâles pis du hasch, dit
un de ses tchommes à table. On vit comme on peut, han !
Le pot, mon vieux, c'est comme un souigne dans l'autre
monde ! Tu flottes, tu planes, tu souignes ! Dans c'temps-
là, tu peux fourrer Brigitte Bardot ou Marylin Monroe
comme si t'étais là.

Bouboule cale son sixième.

— Hey, Bouboule, c'est-tu vrai qu'tu vas avec
Mémène ?

— Mémène...

— Philomène, la p'tite noire.

— Ah, oui oui !... Ben non. Pourquoi ?

— Yves l'a vue monter chez toé.

— Ah oui... Y a deux trois jours... Est venue chercher un paquet pour Berthe.

— As-tu fourré avec ?

— Moé ? Non. J'y ai demandé pour baiser pis alle a dit non. C'est parsqu'a sort avec un gars qui s'appelle Jean pis qu'a n'a peur. Paraît qu'y est un peu maniaque su'es bords, y fesse dessus, y est ben jaloux. Moé j'aime mieux pas prendre de chance.

— C'est ben mieux d'même.

— Hey ! Fernand ! Deux autres encôre, crie Bouboule. Pis je l'connais pas c'gars-là mais y paraît qu'y m'connait, lui...

— Comme tout l'monde !

— Yes, sir !

Monsieur Cinquante, comme un mirador hilare, monte toujours la garde au mur. Il ne surveille pas avec un fusil-mitrailleur. Il veille sur les moutons saouls avec la grande bêtise blanche de ses dents. Les *stunt men* ont fini de faire les beaux pis de s'descendre dans la télé. Les bouteilles saignent broue doré. « Y sont pas battables ces maudits-là, han ! Han ! ! Han ! ! ! » crie un gars, la bouche entrouverte, le nez pointé comme une grosse carotte molle vers la télé.

Les dos ronds des buveurs font pivoter les têtes à gauche, à droite, vers les portes, parfois, quand quelqu'un entre. Vers la télé. Vers le comptoir. Y en a qui se traînent jusqu'aux pissoires. *Drink it, piss it.* Le bruit, la fatigue, les buveurs énervés comme des morpions sur le dos de la terre qui endure en attendant de secouer toutes ses puces dans un dernier nuage de broue nucléaire. Dans le coin, près de la porte, ça hurle, ça bêle. C'est l'artiste, le gars qui dit qu'y est journaliste, le déviargeur au long cours qui se crossait en dessous de la table. Le sculpteur lui a vidé son verre de bière sur la poche. L'Art.

Les tables soutiennent des mentons sales de manœuvres, des mentons luisants de cols blancs, cravates desserrées, des mentons barbus d'artistes, de bommes, de pimmes, de chômeurs. *D'la broue. Péter d'la broue. S'péter a yeule. Oui. Beaucoup de broue.*

Bouboule cale son huitième.

— Bon ben c'est ça ! lance Bouboule en se levant.

— Salut Bouboule, crie un ami.

Bouboule se la coule vers l'exit. *Out.* Il s'appuie un instant sur *In.* Il disparait dans la porte *Out* qui se met à battre par en dedans, par en dehors, par en dedans comme un grand bout d'oreille d'éléphant qui chasse les mouches.

Bouboule débouche sur la rue.

Il regarde un instant distraitement les autos qui écrasent leurs pneus sous leur poids de métal comme des hosties pleines d'air ou des gros beignes noirs ou comme des grosses têtes punies, toujours baissées et qui regardent et regardent et regardent toujours par en dessous en tournant sur elles-mêmes.

Le brékage. Le démarrage.

La Main' croise la rue Sherbrooke. La Richesse et la Marde. La Croix du chemin. Bouboule s'enfonce dans tout ça, dans le bruit qui, lui, se perd dans plus d'espace que le bruit de la taverne, dans toute l'immense tiédeur compacte du soir qui monte dans le ciel sombre comme un gaz noir. La fraîcheur de l'air *conditionned* de la taverne s'est volatilisée dans la rue. Maintenant, c'est l'air tiède qui vient brasser le sang dans les poumons à Bouboule. Rhume. Bouboule tousse.

Il traverse la rue Sherbrooke.

Il attend.

Le feu vert s'est éteint pour reparaître aussitôt plus haut, rouge comme une grosse goutte de sang.

— Ça, ça veut dire : attends, Ti-Gars, murmure Bouboule.

Il se sent boosté par la bière et les speeds.

Une femme passe près de lui. Bouboule fait un bond de côté en plaquant sa main sur le bas-ventre de la femme qui s'en venait en se tortillant comme une couleuvre. La femme a fait « hiiiii ! », elle s'est pliée en deux en s'écartant de Bouboule et en le fusillant du regard. Des gens se sont arrêtés et ricanent. « Espèce de maquereau ! Vicieux ! » crie la femme. Bouboule regarde le monde autour en lançant : « A chiâle pour rien ! » La femme crie : « P'tit vicieux ! » Bouboule lui crie : « Va don' chier ! T'es rien qu'in cul comme les autres ! »

Le feu est redevenu vert, vert criard.

— Ça, ça veut dire : profites-en, Ti-Gars !

— Tu mériterais qu'on t'casse la gueule, crie la femme.

— Mange don' d'la colisse de marde, maudite chienne ! crie Bouboule en traversant Saint-Laurent en courant.

Puis Bouboule court sur Sherbrooke jusqu'à Clark sans se retourner, excité. Il tourne vers le sud sur Clark et descend la côte au pas. « Y a quèq'chose dans l'air ! » jubile Bouboule, les yeux grands, le sang plein d'magie, plein d'alcool, plein d'drogues.

Le café est un peu plus bas, un peu avant la rue Evans.

C'est là que Bouboule s'en va.

20

Ti-Jean ouvre la radio dans sa chambre.

Il est étendu dans son lit.

Une guitare électrique geint à faire brailler, à faire couler des larmes à une comédienne. À faire pleuvoir le soleil. À arracher des paroles aux murs.

La guitare lance des cris qui rebondissent partout sans répit comme des balles de djinn, ça galope, ça court dans la pièce, ça trouble la veilleuse, ça trouble les yeux et les oreilles à Ti-Jean. C'est le chant des pâ-ouâs, des dancings *avec des femmes en panique pour tout et pour rien, du criaillage, des bouteilles fracassées sur les têtes enflées d'alcool, d'eau de vie. Des mains coupées du cœur par la scie des années glissent mollement sur les comptoirs rougis, usés, bleuis par le frottement des piasses, des culs de verres, ceux des putains, ceux des bouteilles, les comptoirs grattés, varlopés par le frottement des sacoches incrustées de fausses perles, des perles de colliers à cinquante cennes.* Ti-Jean est envahi par des images, des fantasmes, des souvenirs de bars, de clubs, de tavernes. *Au poignet de la prostituée un bracelet de pacotille brille : c'est un type qui lui a payé ça parce que sa femme est pas assez vicieuse pour lui. Les comptoirs, on dirait que c'est irrité, rougi par le frottement des coudes et des manches des habits à carreaux ou à brillants des gars. « Un veston pis deux pantalons, ça coûte quarante piasses et quatre-vingts quinze cennes, non taxeuss, oké jeûne homme ? »*

« Les comptoirs des clubs de nuit, ça sent le front plissé pis le vagin vendu », pense Ti-Jean.

Des femmes en panique, des coups de feu, Bouboule qui déboule le long de l'escalier comme une balle de djinne, Bouboule qui rebondit comme les rondes et les blanches des guitares électriques, sonores ; Bouboule rebondit sur les marches en déboulant quatre à quatre, rebondit, rebondit, rebondit jusqu'au trottoir, se brise le cœur, se brise, se pète la tête sur le ciment du trottoir. Sa tête s'effrite comme de la garnotte. « C'est ça, l'cave, endurcis-toé a tête pis tu vas devenir un grand homme, un choyé de ces dames. Avec tes paquets d'piasses de drogues, tu vas avouèr les femmes des autres qui sont cassés. L'automobile, mon vieux, l'automobile, c'est ça l'amour. As-tu un char, crisse ? Y t'faut un char, tabouère ! Mets ton nom quèq'part à toutes les semaines, écris n'importe quelles niaiseries dans un journal régulièrement, là tu vas être un homme. Pour régner, voés-tu, y faut être le plus écœurant des écœurants. N'importe quoi. Fuck les droits. Faut qu'tu soyes un héros, comprends-tu ? Un hold-up, un meurtre, assez d'carnets pour un livre, une bonne dose de bonne conscience, fais-nous accrouère que t'en a mangé d'la crisse de marde avant d't'en sortir, dis pas qu't'as dû coucher avec la femme de chose avant de devenir comme par miracle un héros, non, fais pas ça, tu seras comme un héros. Dis-leu don' qu't'as dû trahir tes amis, faire le pimme. Mens ! Crisse ! Mens ! Y vont t'crouère, tu vas vouèr. Mens-leu plein l'nez ! Tu vas en avoir des plotes pis d'l'argent. »

Bouboule déboule le long de l'escalier. L'indifférence sociale le peinture de sirènes d'autos-patrouilles. Tout est noir devant ses yeux à Bouboule : du noir à reflets avec du lettrage blanc : POLICE.

L'air de guitare s'est arrêté.

On entend à la radio : « CJMS Montréal, le poste des Canadiens français, vous écoutez le hit-peréde américain avec... »

Ti-Jean se lève.

Il plisse le front.

Il va fermer la radio.

Il croise ses doigts en forme de gros poing.

Serre en regardant ses doigts. Qui se vident de sang. Au blanc. Il les bouge lentement. Ses doigts.

Le bruit des autos qui montent la côte de la rue Jeanne-Mance remue le silence.

Et tout ça *lui perce le ventre à Ti-Jean.* Le cœur lui débat. Il a un vrai mal de Philomène à se maîtriser, un *mal de Philomène* dans les bras à Bouboule. Ti-Jean murmure dans sa tête : « Mémène, Mémène, viens ma Mémène, viens mon p'tit Minou, viens... » Puis d'un coup, encore dans sa tête : « Ah ! comme ça tu couches avec Bouboule, mon hostie d'chârogne ! »

Ti-Jean inspire, expire. Tendu. Tendu comme l'élastique d'une fronde.

Puis il explose : « Bouboule, m'as l'kuer c'crisse-là ! Pis toé aussi, Mémène, calvaire !, Toé aussi ! »

Ti-Jean n'a pas parlé tout bas, il a pas murmuré dans sa tête, sa bouche s'est ouverte largement, il a crié.

Il a crié et sa voix s'est aussitôt assommée dans la chambre. Comme s'il avait pas crié. C'est comme si sa voix en éclatant était allée calfeutrer les lézardes dans les encoignures et dans les murs, comme si elle était allée se jeter comme du mastic dans les craquelures des vitres pour tout insonoriser, comme si elle était allée se jeter partout pour tout boucher. Pour tout boucher et lui boucher les oreilles. Et lui fermer la gueule.

Ti-Jean est allé frapper à coups de pieds dans la portière du frigidaire. Ç'a fait une bosse. Puis à coups de poings. À coups de poings. Il sait, il va avoir les jointures tuméfiées. Son poignet droit lui fait mal. La rage au cœur, Ti-Jean court dans la chambre et se jette sur le lit. Il se tire les cheveux à deux mains. Il frappe du poing sur le matelas. Son ventre se met à palpiter sur le matelas qui sursaute. Qui grince. Ti-Jean s'entend brailler comme une vieille vache à cinq heures dans le champ. Il a comme un mal sonore au ventre. C'est comme la boîte de résonnance de la guitare électrique qu'il entendait tout à l'heure dans son lit et qui hurlait comme des nerfs à vifs. Lui aussi, Ti-Jean, comme Bouboule, y déboule quèq'part. Ti-Jean se mouche sur sa manche de chemise dans un bruit de trompette qui claque. Il s'essuie les joues, les paupières. Les tempes lui picotent. Son visage est sale comme si y était plein de suie.

« Fini d'brailler ! » pense Ti-Jean.

« C'est pus l'temps d'niaiser », pense Ti-Jean.

Une idée dans son crâne s'est éclaircie les idées.

Ti-Jean court à la penderie, prend son coupe-vent, l'enfile.

Il met ses clés dans sa poche de coupe-vent.

Il sort de la chambre.

Il descend l'escalier.

Il descend jusqu'au rez-de-chaussée.

Il s'arrête un court instant devant la porte de la cave.

C'est écrit : PRIVÉ

Il écoute.

Il jette un coup d'œil dans le couloir, à sa gauche : la première porte du couloir, c'est la concierge. Ti-Jean entend une voix assourdie qui chante. Il devine la vieille, pâmée devant la télé. Il sait qu'elle entendra pas, qu'elle interviendra pas. Aucun danger. La voie est libre.

(« Envouèye ! »)

Il a ouvert. La porte de la cave a pas grincé. Il pénètre. Il pose un pied sur la première marche. Il se retourne et referme la porte. Qui grince pas. Il marche comme dans du feutre. Il allume. Un escalier descend dans la cave. Des chaises empilées et des tables partout, des boîtes de carton remplies et attachées avec de la corde, un vieux lit à baldaquin, des housses poussiéreuses sur des fauteuils. Ti-Jean descend l'escalier. Lentement. Au fond de la cave : l'établi. Le coffre à outils. Il ouvre le coffre. Petit bruit de métal.

Il revient sur ses pas. Il remonte l'escalier de la cave.

Il éteint la lumière et referme la porte.

Il fourre ses mains dans ses poches de coupe-vent.

Sa main droite tâte un objet dans sa poche droite.

(« Envouèye !)

Il marche dans le couloir et sort de la maison.

Dans le soir.

22

Tout semble beaucoup plus facile à Ti-Jean maintenant qu'il marche dans l'air tiède du soir. Doux. D'été.
C'est comme l'été en plein septembre. Dans cet immense
gaz noir et tiède, estival, de Montréal. Bouboule,
Philomène : il pense à eux et c'est moins douloureux que
tout à l'heure dans sa gorge, dans sa poitrine, sa tête, sa
graine. Bouboule et Philomène ont été convertis en lui en
objets de haine et de vengeance. Tout est beaucoup plus
simple. Tout est beaucoup plus clair. Ti-Jean regarde le
cadran de sa vieille montre, une patate à cinq piasses qu'il
traîne avec lui depuis toujours. Neuf heures dix. « C'est
drôle de dire « patate » pour une montre pis « patate »
pour un cœur », pense Ti-Jean. « Y a pas d'sang dans ma
montre pis j'ai pas d'heures dans l'cœur... » Il se sent
affairé, occupé. Comme quand on travaille. Comme quand
on s'en va travailler. De nuit. Neuf heures dix... Neuf
heures onze. « Ça s'énerve pas, des aiguilles de montres... »
C'est Pierre, un ami, qui lui avait donné sa montre. Ça fait
un maudit bout de temps. Pierre l'avait volée à sa sœur.
Une montre de ville. Le soir est bleu. Ti-Jean se sent
parfait, au-dessus de ses affaires. Momentanément en tout
cas. Les rues et les trottoirs sont bien réverbérés. L'éternelle
plainte mugissante d'une sirène de cabze ou d'ambulance

le ramène à la réalité la plus quotidienne de sa ville, de celle qu'il connait : la boucherie, l'hystérie, la vulgarité, le crime, le bleak, pas de téléphone, pas de communication, la mort, la haine. Le *Grand Pneu* cosmique du monde qui tourne et qui l'entraîne et qui entraîne le monde en l'écrasant sans fin sur l'asphalte. Avec la régularité de sa patate de montre. Sa montre de femme. Si sa patate avait un nom, elle s'appelerait Philomène. Une sirène de police ça crie toujours après quelqu'un. La sirène hurle sa volonté de puissance. D'intervention. Tout est simple. Correct. Ordinaire. Comme des devoirs d'école. Comme des devoirs d'école faciles. Neuf heures vingt.

Ti-Jean sent battre en lui sa patate pleine d'heures et de sang.

Il sait où il va.

La rue Clark.

23

Ti-Jean s'est assis dans le coin le moins éclairé du restaurant. C'est pas vraiment un restaurant, c'est un café plein de marginaux. Chacun peut venir se cacher là-dedans. Ça sent la dôpe. On diffuse de la lumière en couleur par petites buées criardes. Tout est bruyant et indéfini. Bouboule est là. Ti-Jean le voit dans le brouillard criard, il l'observe. « Y a un coup dans l'corps, pis y est gelé ou high », pense Ti-Jean, les yeux accrochés à Bouboule. Bouboule a l'air joyeux, en pleine forme, il jase, jase, Ti-Jean se rappelle une fois où il l'avait vu à la taverne. Quelqu'un lui avait dit qui c'était.

(— Ken, r'gard'… Bouboule, ben c'est lui.
— Pis ?
— Y vend des goûffes pis du hasch. C'est lui. Si t'en veux.
— Non.)

Ti-Jean se souvient des deux incisives de Bouboule, ses deux incisives sans voisines, ça lui fait une denture de lapin ; il se rappelle de son air de rat pécolé, de sa brosse longue, noire, sale.

Deux couples viennent de s'asseoir à la table de Ti-Jean.

Une des filles est allée voir Bouboule et lui a donné un bec sur la joue. Sur la bouche. Un *french*. La fille et Bouboule se sont parlés un instant puis la fille lui a montré l'homme avec qui elle était assise à la table de Ti-Jean. « C'est peut-être la blonde à Bouboule », pense Ti-Jean. « Comment ça se fait qu'est avec un autre ?... » Puis la fille est venue se rasseoir à côté de l'homme, à la table de Ti-Jean, en face. Toutes les tables sont occupées ce soir. Ti-Jean pense que ça doit être vendredi. Il est presque sûr que ça doit être vendredi. Les jours, il les compte. Jusqu'au jour des prestations. *Si on manque la bonne journée, si on arrive deux ou trois heures en retard, le petit fonctionnaire (« avec sa maudite face peuple amaigrie », pense Ti-Jean), du bout de sa lèvre qui a toujours l'air sèche, sa lèvre agacée par une petite tache de moustache carrée à la Hitler qui ressemble à une crotte, le maudit fonctinaire miteux dans son habit à carreaux à quarante piasses, son habit à bon marché, le petit crisse de fonctionnaire vous cuisine et vous pose cinquante-six questions indiscrètes et embarrassantes. Y peut décider pour un « oui » ou pour un « non » de vous couper les prestations, c't' écœurant-là...* « Ça doit être vendredi, pense Ti-Jean, oui, chus allé chercher mes prestations... »

Une des femmes des deux couples assis à sa table, celle qui est allée voir Bouboule tout à l'heure, est assise juste en face de lui. « Une femelle, pense Ti-Jean, une femelle féfille... C'est pas une femme... Quinze ans... Seize ans... » La féfille regarde Ti-Jean par en dessous de ses sourcils ; pour Ti-Jean c'est comme si le vice et le masochisme muaient comme une peau de serpent dans le clignement lent de ses yeux. « Une féfille qui peut rien comprendre », pense Ti-Jean. *Rien deviner. Elle ne voit pas* le serpent plein de mort qu'il a dans l'œil.

Ti-Jean, lui, y sait qu'y a une grosse face de bomme. Y sait : « Chus pas beau. » Y baisse la tête vers sa tasse de café. Son visage s'est crispé. Il se sent mal à l'aise. La féfille le fixe sans jamais détourner le regard. « A peut-tu deviner ?... Non... Rien... Qu'est-ce qu'a connait dans vie ?... Rien. » *Rien que le serpent qu'elle sent peut-être* et qui pourrait lui crever la pupille. « Non, a peut pas », pense Ti-Jean. Ti-Jean pense que la fille ne peut pas deviner qu'est-ce que lui, Ti-Jean, va faire tout à l'heure quand Philomène va arriver. Parce que c'est comme rien : Philomène va venir rejoindre Bouboule. L'obsession... Si Ti-Jean n'avait pas d'obsession, qu'est-ce qu'y ferait, Ti-Jean ?... La bonne obsession. Il regarde la fille, de côté. *La féfille est pas encore assez mutilée par la vie* pour deviner *l'immense serpent-tueur qui se tord dans son œil.* « Pis à part ça, une fille, ça s'mutile pas, c'est comme du diamant », pense Ti-Jean. Ti-Jean pense qu'est pas assez folle, la fille, est pas assez folle pour pouvoir sentir en face d'elle, pour apercevoir, à quatre pieds de son nez d'aveugle, la folie furieuse d'un différent... D'un mâle en travail. D'une machine à souffrir et à faire souffrir. Qui peut tuer, qui veut. Ti-Jean, c'qu'y va faire, y va se lever quand Philomène va arriver pis là... Y va faire ça le plus vite possible, y sait... Le plus vite possible. Y en bande rien qu'd'y penser. La féfille le dévisage toujours. Ti-Jean est agacé... Détourne les yeux. Il sipe son café... Tête baissée au-dessus du rond de café brun... Tout à l'heure ça va dégosser là dedans, y sait. Free for all, colisse ! Free for all ! La féfille va le voir se lever brusquement, elle ne comprendra pas tout de suite ce qui arrive... Elle comprendra pas. Peut-être jamais. Sa mémoire à la féfille va figer là-dessus comme une face sur une photo. Pour l'éternité. Elle comprendra jamais. Quelques secondes après avoir vu Ti-Jean faire, elle va hurler comme les autres.

Comme toutes les autres. Ti-Jean sait tout ça, y est sûr de tout ça. « Qu'alle asseye pas d'faire sa p'tite crisse de supérieure pis d'mystérieuse, colisse, est comme les autres », pense Ti-Jean, « a s'donne des airs ! » Y a l'habitude de voir hurler des femmes, courir des femmes vers l'exit, se tirer les cheveux, s'arracher les décolletés, se battre, se poussailler pour sortir « comme des petits cochons », pense Ti-Jean, « comme des petits cochons qui se pilent les uns su'ez-autres pour aller téter la mère truie. La mère truie qui en enfirouâpe toujours deux trois avant qu'y ayent eu le temps d'grandir, oui. » *Vie d'cochons !* Quand ça y pogne, à Ti-Jean, tout l'monde crie, tout l'monde hurle pis se sauve.

Dans le café, autour de lui, ça caquette. Ça crie, ça rit, ça s'pogne le cul. Ça placotte, ça règle le sort du monde. Le djouk-box pisse Aznavour, vomit les Beatles, hurle Presley, secoue Vigneault par le chignon du cou pour lui faire expier ses dernières bouffées d'air pur. Pour faire tomber les derniers sapins qui lui poussent sur le crâne. Ses dernières parcelles de lui-même. Trente-sous pour trois tounes. Pis personne est rassasié.

La féfille dévisage toujours Ti-Jean.

« Voés-tu, moé, féfille, rumine Ti-Jean les yeux baissés, j'ai une idée dans l'ventre, d'in gosse pis dans sa tête !... Ça enfle, comprends-tu ! Ça enfle crisse ! »

Ti-Jean tourne la tête vers Bouboule. Il regarde... « Ses deux maudites dents ». Elles lui semblent presque transparentes. Elles l'agacent. « M'as d'y faire avaler ! » Ti-Jean tâte la poche droite de son coupe-vent, imperceptiblement. L'objet. Son poignet droit lui fait toujours mal. À cause du coup de poing dans la portière du frigidaire.

« Tout à l'heure, tout à l'heure quand Philomène va arriver... »

Philomène, c'est encore seulement une image dans sa tête. Comme tout à l'heure. Un instant Ti-Jean pense :

« J'peux peut-être la tuer jusse dans ma tête. » Il pense :
« Celle qui est dans ma tête, c'est-tu la même que celle qui
est en-dehors de ma tête ? » Il est un instant l'esprit vide.
Non. Philomène, c'est devenu un autre être. Y saurait pas
comment dire mais c'est devenu un autre être dans sa tête
autant qu'en dehors de sa tête. Ça se ressemble. « Ça se
ressemble, qu'est-ce qui est dans tête pis en dehors de la
tête, quand on va tuer ?... C'est ça... ? » Pis aussi, Philomène, c'est devenu simplement quelqu'un qu'on attend.
« Quelqu'un que j'ai jamais connu, est devenue comme
ça, comme quelqu'un que j'connais pas... J'la connais pas
mais j'la r'connais, c'est ça. »

C'est l'obsession qui est bonne... Y en démord pas,
Ti-Jean... Il se sent gonfler, vivre. « Comme le maringouin. » Ça enfle aux aines, son goût de massacre, ça le
pogne dans les hanches. « Y a quèq'chose dans l'air en
calvaire à souèr ! » Ça enfle dans le ventre, ça dilate la
gorge.

Ti-Jean plisse le front. Baisse la tête. Soulève sa
tasse. Sipe son café qui commence à refroidir. « Ça s'en
vient, tout à l'heure, Philomène, ma Mémène, ma chârogne,
ma chienne. » Ti-Jean méprise hargneusement les gens
autour de lui. Surtout la féfille. *Il exploserait en milliards
de petites lames tranchantes.* Ils n'ont pas, comme lui, la
féfille pas plus que les autres, une idée qui les mène
comme une pointe de pic à glace, une obsession qui les
hante, une bonne obsession compacte, musclée, palpable...
« Y ont pas de passion », pense Ti-Jean. C'est lui, Ti-Jean,
le seul vrai habitant de ce monde qui l'écœure. C'est lui
qui prend les décisions qu'il veut. C'est lui. Y fait c'qu'y
veut. Personne peut venir pis l'empêcher de l'faire. Personne. « Arrêtez d'me mettre en crisse, gagne de cros-
seurs ! hosties d'médiocres ! »

Il les regarde faire autour de lui.

Il les regarde, ils dissertent, ils s'amusent.

Y sont pas boostés, ceux-là, ni désespérés, comme Ti-Jean s'sent, lui, y sont pas en serpent pis désespérés au point de s'en saouler, d'en vivre de leur maudit désespoir comme d'une drogue. La haine comme une soupape. Pour pas s'tuer. Un barbiturique ou un speed qui vaut toutes les goûffes ou tout le pot cheap à Bouboule. « Tout l'monde parle pour rien. » Tout le monde parle de tout le monde dans le café mais personne connaît tout le monde. On dirait qu'y voyent pas. C'est à ça que Ti-Jean pense. On dirait qu'y voyent pas la haine, la folie à côté d'eux-autres, le bonhomme poussé à bout par en dedans, bourré d'explosifs, la bombe humaine qui fait un tic-tac gras dans sa patate, un tic-tac rouge dans le cœur, nerveux comme une bombe qui va leur sauter dans les pattes, comme un rat égaré... Un rat qui va mordre et déchirer les tendons... Un rat qui va gruger les restes de sandouitches comme un affamé... Déchiqueter les piasses, les dix, les vingts, les cinqs... C'est chronométré, c'est prêt à sauter pis à bondir à face des imbéciles. Comme un rat égaré. Comme un chat aussi... Comme n'importe quoi d'affamé, d'affolé. C'est *dangereux*. C'est *criminel*. C'est *violent*.

La féfille le fixe en le peinturant de brillant avec ses petits yeux pointus. *Pas assez folle pour imaginer, pour sentir la folie d'un autre...*

Ti-Jean pense encore à Philomène. Elle arrive pas.

Philomène arrive pas.

Du bruit, du café, du flirt, de la théorie cheap, tout ça monte dans les volutes de fumée comme de l'encens dans une église. Les volutes se brisent sur les tables, s'enroulent autour des tasses, dans les encoignures du café, autour des petites lampes fixées aux murs, jaunes comme de la pisse. Les volutes de fumée font piquer les yeux. Les volutes vont flotter au plafond comme des linges mous, déchiquetés, transparents. Comme des pensées molles, énervées, plates, aiguisées, hideuses, cutes, des belles pensées, *je t'aimerai toujours* et je te serai fidaïle, du Saint-Ex, « du sermon », pense Ti-Jean, « du sermon pis d'l'amour de p'tites crisses pis de p'tits caves ! Fini de t'faire niaiser, Ti-Cul Ti-Jean ! Si Philomène arrive pas, tu commences par Bouboule. Après ça, ça sera l'tour à Philomène. Est chez Louise. À doit être chez Louise même si alle aime changer d'place ! La sacrament ! L'hostie, c'est ça ! Aller dormir ailleurs, ouais... Maudit qu'chus cave, Ti-Cul Chose ! Si Bouboule est icitte, a doit être avec un autre... Mais Bouboule je l'tue quand même, l'hostie ! Quand même ! J'ai pas braillé tout à l'heure comme une vache pour rien ! Chus toujours ben pas pour aller m'excuser, moé, à Bouboule parce qu'est pas son seul maquereau à Philomène ! Y va d'y goûter pareil, l'hostie. Qu'y paye pour les autres ! Même si c'était rien qu'pour y faire avaler ses deux p'tites crisses de dents sales ! Fini de t'faire jouer dans l'dos, Ti-Cul Ti-Jean, y a des limites ! Ça va saigner t'à l'heure, han Mémène ! ? Faire rire de moé, ça marche pus ces affaires-là ! »

Bouboule le lapin jase, croque un doigt de fille comme un bout de carotte incarnate. Aznavour en gémit de frustration dans le djouk-box. La fille embrasse le lapin dans le cou en se tortillant dans sa jupe mauve. « A mouille, crisse, envouèye ! mords-y une oreille, gêne-toé pas la fille, moé ch'te jure que t'en as pus pour longtemps avec ton maquereau, t'es aussi ben d'en profiter pendant qu'y en reste ! Y en a pas assez d'ma Philomène, c'te chien sale-là, y y faut toé ! »

Ti-Jean regarde sa montre. Regarde. Hypnotise sa montre. Onze heures et demie. Ti-Jean relève la tête.

« Bouboule, m'as d'y péter sa face ! Y bavera pus personne ! »

Ti-Jean a fini son café froid. La grosse patate de son
cœur se débat comme une horloge déréglée, se débat dans
son obsession qui enfle. Ti-Jean veut commander un autre
café. Mais Bouboule se lève. Marche.

Bouboule se dirige vers la sortie. Seul.

(« Shit de marde ! »)

Il s'en va. Il s'en va. « Philomène est pas venue au
café, la crisse », pense Ti-Jean.

Bouboule frôle Ti-Jean.

Ti-Jean baisse la tête sur son café.

Bouboule le dépasse et se dandine vers l'exit.

Ti-Jean relève la tête. Il voit la porte à ressorts
molle qui chasse Bouboule dehors en se rabattant par en
dedans et en se rabattant dehors, dedans, dehors, dedans
comme une grosse aile de peau qui balotte.

Ti-Jean se lève.

La féfille se tourne vers lui et le regarde aller.

Ti-Jean marche, pousse à son tour la grosse porte
molle et sort du café.

24

Ti-Jean voit Bouboule descendre vers la rue Ontario.

Ti-Jean presse le pas derrière lui.

Bouboule arrive au coin d'Evans et de Clark.

Dans trente secondes, Bouboule va mettre le pied sur la rue Evans pour la traverser. Le coin est sombre. C'est la dernière chance de Ti-Jean.

Ti-Jean s'élance et court derrière Bouboule. Il sort l'outil de sa poche de coupe-vent, l'outil qu'il avait pris dans la cave de la maison de chambre : un tournevis. Il écrase la poignée du tournevis dans sa main droite. Dans sa main moite. Serre. Il sent sa main droite glisser et faire mal sur le plastique épais, le plastique vert du manche. Il appuie sa main gauche sur son poing droit dont le poignet arrête pas de lui élancer. Bouboule marche devant lui. Ti-Jean s'élance en levant les bras. Abaisse les deux bras. Frappe.

La tige de métal a frappé Bouboule sur la tempe droite, derrière l'oreille. Le coup a mal porté mais Bouboule plie vers le trottoir, étourdi. Ti-Jean croyait que la tige allait se planter dans le crâne de Bouboule et percer l'os comme la coquille d'un œuf de poule. Non. Le coup a mal porté. « Bouboule doit avoir une maudite tête dure, aussi, pense Ti-Jean, une tête de cochon. »

Bouboule saigne dans ses cheveux. Ça brille. Il se tord sur le trottoir comme un quatre de caoutchouc qu'on secouerait, un quatre étourdi, ondulant sur l'asphalte bleu, doux, tiède.

Bouboule geint faiblement par terre.

Ti-Jean se penche et l'empoigne par dessous les épaules sans lâcher le tournevis. Il plante ses doigts dans les aisselles de Bouboule et le tire vers la droite sur le trottoir de la rue Evans.

Bouboule se laisse faire en babillant de douleur.

Ti-Jean le traîne dans un fond de cour.

Au deuxième étage de la maison dont le rez-de-chaussée arrière donne sur la cour, un blind baissé laisse filtrer un mince cadre de lumière. « Y a quelqu'un dans maison, pense Ti-Jean, faut faire ça vite. » Il baisse la tête vers Bouboule pour l'examiner. Son regard rencontre, une fraction de seconde, un trou de nœud comme un œil vertical dans une planche de la clôture de la cour, une clôture de bois brun, ravinée ; délabrée par le temps, la clôture, par la neige, la pluie.

Ti-Jean cligne de l'œil.

Comme si le trou dans la clôture le regardait.

« Faut faire ça vite... »

Comme si le trou dans la clôture lui parlait.

Bouboule est étendu sur le dos.

Il geint toujours et il commence à chialer plus fort. Trop fort. Ti-Jean se tourne vers Bouboule. Les deux incisives. Ti-Jean lève le pied et le rabat en bouchant la gueule à Bouboule d'un coup de talon. Les deux lèvres ont fendu en croix. Ça saigne. Bouboule chiâle plus fort. Ti-Jean s'agenouille sur ses épaules en lui plantant d'un coup la tige du tournevis dans le palais. « Envouèye ! » Dans la gorge par la bouche gluante. Ti-Jean jouit en imprimant au tournevis un mouvement saccadé de va-etvient. Le sang gicle par le nez. Par la bouche. Comme un coq saigné. Ti-Jean zigonne dans gorge. Creux. Ti-Jean sent une résistance osseuse au bout de la tige du tournevis. Comme quand on ouvre un poisson pour l'étriper pis qu'on accroche en creusant dans l'épine et les arêtes. Ti-Jean pousse, pousse la tige de métal dans la gorge à Bouboule qui gigote comme un crapet-soleil qu'on écaille.

Ti-Jean se rappelle, quand il était petit, il allait pêcher des anguilles dans le Saint-Laurent avec son père. Ils les plantaient sur le petit saule près de la maison. Avec un pic à glace qui perçait d'un coup les petits crânes visqueux. Les crapets, eux-autres, rendaient un son d'os écrabouillés quand on plantait le canif dedans.

« Y se l'est fârmée, han ! » pense Ti-Jean comme si y parlait à son père.

Bouboule gargouille sous Ti-Jean comme un tuyau de lavabo qui se vide. Mais en plus gras. En moins sonore... En plus lent... Comme du cauchemar... La tête...

Ti-Jean est allé chercher une grosse pierre qui traîne avec d'autres dans le fond de cour et il est revenu avec en ahanant. Il a regardé un instant la face ensanglantée de Bouboule avant de lui laisser tomber la pierre sur le crâne. Le craquement l'a fait frémir. Puis il a pensé, comme pour couvrir la sensation qui l'envahissait : « Tu l'as perdu ta crisse de tête, tabarnac ! C'est pus rapiéçable, ça, maudit chien d'crisse ! Tu pourras pus frencher pis sucer a blonde des autres, mon sacramant ! »

Ti-Jean a essuyé le tournevis avec son mouchoir. Il a regardé Bouboule pendant une couple de minutes. C'était *faite*. Puis Ti-Jean a fourré son mouchoir dans sa poche. Il s'est tourné. Il a regardé vers la rue Clark. Tout d'un coup il avait peur que quelqu'un le voye ou que quelqu'un l'aye vu.

Il a marché tranquillement sur Evans jusqu'à Clark. Il a regardé vers le nord. Le sud. Personne.

Il pouvait y aller.

Il a mis ses mains dans ses poches et il s'est mis à marcher tranquillement vers Sherbrooke, vers le nord.

Plus tard, il a sorti son mouchoir et il l'a jeté dans une bouche d'égout en pensant : « Y est pus servable. »

Sur le pantalon de sa cuisse gauche il y avait du gras, une plaque de gras chaud. Mais ça sèche en marchant et son pantalon est brun. Le sang, c'est ni plus ni moins discret que la boue. Ti-Jean avait les mains collantes. Les tavernes sont des labyrinthes de tables et de monde. Il est entré dans un labyrinthe, il a marché jusqu'aux toilettes et s'est lavé les mains, les poignets. Ça l'agaçait d'être collant d'même. Le sang c'est collant. Il s'est aspergé le visage. Il s'est laissé couler de l'eau dans le dos. Il a fait reluire son tournevis comme un neuf sous l'eau de la champlure, un bon tournevis avec un manche en plastique vert bouteille.

Pis y a remis son tournevis dans la poche de son coupe-vent.

Il se lavait toujours en revenant de travailler, il se rappelle, y prenait une douche. Ça fait longtemps. Il se regardait dans le miroir. « J'ai une grosse face plate, qu'y se disait. Mes cheveux sont pas peignables... Mes mains... Maudit qu'j'ai des grosses mains... »

Il se mettait à jouer des cymbales avec les mains.

Il pense à Bouboule. Il ne verra plus jamais Bouboule. Nulle part. Ni dans son miroir. Avec lui, c'est fini.

Ti-Jean murmure : « Philomène... »

Une heure et demie du matin. La nuit est bleue, correcte, bien élevée. Ti-Jean marche vite. Il serait peut-être nerveux, Ti-Jean, si y marchait pas si vite. La marche fatigue autant les obsessions que les jambes.

Elle peut aussi leur faire des muscles.

« Philomène... »

La rue Duluth.
La nuit bleue.
La tiédeur et les réverbères. Le doux gaz noir de la nuit.

Ti-Jean est pressé.

Le 520 rue Duluth. Ti-Jean entre dans le bloc. En entrant, il a croisé une gagne de jeunes partis sur une brosse.

Il monte l'escalier. Jusqu'à l'appartement onze. Il sonne. Il attend devant la porte de l'appartement. Il connait bien l'endroit, il pense à Louise qu'il venait souvent voir. Qu'il vient souvent voir. « Ça fourre, Louise, ça arrête pas. Fourre un ! Pogne l'autre ! Ch'sais pas si est là... »

Ti-Jean cogne à la porte. Ça répond pas. Une lumière, une faible lumière de veilleuse raye le dessous de la porte d'un trait morne. Ti-Jean entend une musique d'orchestre. Une musique fade, longue, insignifiante, insinuante. La musique vient de l'appartement.

Ti-Jean cogne encore.

Rien. Pas de réponse.

La musique zique, zique, rezique. Toujours la même raie de lumière morne sous la porte... Ti-Jean cogne encore.

Attend.

Ça répond pas. Ça répond toujours pas.

Ti-Jean soudain s'enrage, cogne à coups redoublés, crie. Les voisins protestent pas, la concierge monte pas.

« Ou ben sont partis tout le monde ou ben sont saouls ou ben j'rêves, crisse... » Mais y a quelqu'un derrière la porte, ça, Ti-Jean, y en est sûr ! Y l'sait ! C'est Philomène. « Chârogne ! Tu veux pas répondre ! Attends ! »

Ti-Jean s'adosse au mur du corridor en face de la porte. Il lève la jambe droite et rue violemment du talon à la hauteur de la serrure. Le châssis de la porte craque. Ti-Jean jouit de voir, de sentir céder la porte, comme les corps qui cèdent. Il s'élance de nouveau. Un violent coup d'épaule. Un autre. Tout est possible. Tout. Il pénètre en courant dans le boudoir, énervé. Il court vers la cuisine à sa droite. Au bout, c'est la chambre. Elle est là !

— Philomène ! lance Ti-Jean.

Elle vient à sa rencontre dans la cuisine. Philomène le regarde, elle cligne des yeux, tendue, elle vient de sortir de la noirceur : « Veux-tu ben m'dire qu'est-ce tu veux, toé, à c't'heure icitte ! »

Victoire ! Conquête ! « Avant d'la tuer, ch'couche avec ! » pense Ti-Jean. Il se met à crier, ça sort, ça déboule : « Hip ! Hip ! Hip ! Duplessis ! La matraque ! M'as t'enculer avec ma matraque à moé, chârogne ! Kowalski ! La lutte au Forum, colisse ! Chus l'bad guy, tabarnac ! Arrive icitte, ma chienne ! J'l'ai tué, ton maquereau ! » *Donnes-y ! Fesse, Hitler ! Fesse, crisse ! Fesse !*

— Qu'est-ce t'as, murmure Philomène d'une voix qui se brise.

Philomène regarde Ti-Jean s'approcher. Elle ne sait pas. Oui... « Ti-Jean *est fou.* » Philomène cligne des quenœils, elle se demande si elle rêve, si c'est vrai, si... Elle a peur. Elle regarde, elle regarde Ti-Jean.

— Qu'est-ce... tu veux ? murmure encore Philomène d'une voix qui vacille.

— Tu veux savoir qu'est-ce que j'veux ? dit Ti-Jean. Chus v'nu t'vouèr, vouèyons.

— T'es v'nu m'vouèr... Comme ça ?...

— Ben...

Ti-Jean regarde derrière elle, vers la chambre.

— T'es pas toute seule, ma crisse !

— Han ?

Ti-Jean contourne Philomène et marche vers la chambre de Louise.

— Non ! Ti-Jean ! Non ! crie Philomène. Va pas dans chambre ! C'est pas t'tes affaires ! J'veux qu'tu t'en ailles. Ti-Jean ! Va-t'en !

Ti-Jean revient vers Philomène, l'attrape par le poignet.

— Envouèye ! Viens m'montrer ça, hostie ! Marche !

Ti-Jean tire rudement Philomène par le poignet jusque dans la chambre de Louise.

En entrant, en voyant le lit, Ti-Jean y a débandé. S'est enragé. Il a écrasé le poignet à Philomène. *Faut ben qu'ça sorte par quèq'part !* Ti-Jean regardait dans le lit. Il était ben qu'trop surpris pour rester bandé. Berthe était étendue tout nue dans le lit, bronzée par la pénombre. C'est sorti de sa bouche entrouverte à Ti-Jean, à peine audible : « Dis-moé pas qu'a couche avec des femmes, astheure... ! »

Pis y s'est tourné vers Philomène en haussant la voix, en criant.

— Qua-c'est ça ? ! Sais-tu que c'est qu'tu veux, toé ? !

Philomène fait un pas de côté en tentant de se libérer de Ti-Jean. Ti-Jean la retient en jouissant de son sentiment de supériorité sur elle. Philomène se tourne encore vers lui, le fixe droit dans les yeux, elle crie : « Oui je l'sais c'que j'veux ! J'veux la paix ! »

Enragé, Ti-Jean lui rabat le revers de sa grosse patte sur la tempe en lui lâchant le poignet et en criant : « Kin, d'la paix ! T'en veux d'la paix ! En v'là d'la paix ! »

Philomène est allée voler contre le mur. Elle se tient la tempe à deux mains. Elle ressemble à une enfant ou à un ange qui dort ou qui pleure, debout, la tête penchée et collée sur les deux mains. Son déshabillé est ouvert. Ti-Jean s'élance et lui rabat encore sa grosse patte sur l'autre tempe.

Mémène a fermé les yeux, le visage, les paupières crispées, elle pleure, elle se tient la tête, elle se réfugie dans ses mains. Le goût de l'étrangler. Le goût de l'étrangler s'empare de Ti-Jean. Le saisit aux épaules. Ses bras s'élancent. Et retombent. Il ne sait plus trop où il est, ce qu'il est, ce qui se passe. Il s'élance mais cette fois il donne un violent coup de pied à Philomène. Sur une canne. Sur le tibia. En plein sur l'angle. Philomène braille comme une perdue en lâchant sa tête et en pliant comme une feuille vers le sol et vers sa jambe. Elle tient son tibia tuméfié à deux mains. Ti-Jean s'élance encore sur elle et lui arrache son déshabillé qui vole par terre. Ti-Jean se sent invincible. Il se penche encore vers Philomène comme un enfant vers un gros jouet et l'envoie revoler d'une poussée près de la commode en lui criant : « T'es tout nue, han, ma chienne ! Ça fourre avec Bouboule pis ça couche avec des femmes à part de t'ça ! Une belle écœuranterie, ton affaire ! »

Ti-Jean se tourne vers le lit. Berthe s'est réfugiée et s'est ramassée en boule sous les draps. Sa tête dépasse des draps. Elle est figée là, terrifiée. Ti-Jean la regarde. Elle a l'air d'une enfant. Elle aussi. Ti-Jean se sent soudain envahi de fou rire.

Il éclate.

Berthe le regarde, les yeux ronds. Elle était terrifiée. Elle est maintenant terrifiée et étonnée. Son visage passe d'une expression à une l'autre. Rapidement. On dirait qu'elle ne sait plus où donner de l'expression ou de la mimique. Les expressions de son visage varient de plus en plus précipitamment : étonnées, terrifiées, étonnées, terrifiées. Ti-Jean lui crie : « Tu clignotes, hostie ! » Il la regarde et éclate de rire. Aux larmes, Philomène geint, chiâle, braille dans la pénombre. Ti-Jean se sent revivre en dedans. Il rit. Il rit. Il arrête pas de rire. Il en a mal dans les côtes, dans le cou, ça tire, ça tire par en dedans et ça le fait rire. Rire.

Puis d'un coup il s'arrête de rire comme si rien n'était jamais arrivé, comme s'il perdait soudain la mémoire et il sort de la chambre sans regarder Philomène.

Il marche à grands pas vers la porte défoncée du logement. Il sort en repoussant la porte chambranlante derrière lui qui retombe croche sur ses gonds décloués.

30

La rue est tiède.

Ti-Jean a encore ri sur la rue. Il a encore ri. Aux larmes.

Maintenant il marche.

Il a essuyé ses larmes sur la manche de son coupe-vent. Il a une grande marque de poussière humide sur la joue.

Il marche.

Les façades des maisons de la rue Duluth sont sales et correctes. Comme son visage. C'est toujours aussi tranquille, Duluth, surtout au petit matin : pas de restaurants, pas de magasins, seulement des logements pis des maisons de chambres pis de l'asphalte craquelé répandu en couches sur les trottoirs. Du papier journal par terre. Tout un cahier de *La Presse* s'est enroulé autour d'un poteau comme un foulard sec et sale. Ti-Jean frissonne dans le petit matin. Il marche en s'accotant le menton sur la gorge et en riant dans sa fatigue. Il pense que c'est une chance que Philomène soye pas venue rejoindre Bouboule au restaurant. Il était maniaque, « boosté comme un crisse ! J'les aurais tués tous les deux d'vant tout l'monde ! La police serait venue... »

La police l'aurait pendu.

« Tandis qu'astheure, y a pas d'danger », pense Ti-Jean. « Personne me connaissait au restaurant. Personne m'a vu tuer Bouboule... Pis j'ai colissé une crisse de bonne volée à Philomène ! » Ti-Jean frissonne. Son menton rit dans sa fatigue et dans sa gorge. « Berthe, hey ! C'est d'valeur qu'a soye de même... C'est une maudite belle boîte... Pis est peut-être aux deux... Comme Philomène... La crisse ! Mais j'me d'mande, j'me d'mande... J'me d'mande si Yves y m'a menti ?... »

31

Ti-Jean marche sur le trottoir asphalté qui ceinture l'étang du parc Lafontaine. Le matin a courbé l'échine. Ti-Jean aussi. La fatigue. Le matin bouge pas. Ti-Jean s'arrête. Le soleil a l'air mouillé. Le ciel est gris-bleu. L'herbe a l'air bébête, froide, verdâtre. Ti-Jean écoute un peu, il prête attention aux bruits qu'il pourrait entendre dans le parc. Comme s'il voulait s'assurer que rien ne bouge. Le silence c'est comme un miracle. C'est bon.

Rien ne bouge.

Ni l'étang, ni le présent, ni lui, ni le matin figé dans une sorte de gris-hangar ou de bleu de ruelle. Rien, Ti-Jean entend rien. Il se tient debout, juste au bord de l'étang. Les bouts de ses souliers dépassent un peu au-dessus du miroir d'eau. Ti-Jean penche la tête au-dessus de l'étang. Il pense en remuant les lèvres : « R'gâr-moé don' ça ! » Il se voit. Il pense, il crache dans l'eau et il grogne : « Grosse face plate ! »

Son crachat a fracassé sa face.

Ti-Jean regarde sa face se recomposer dans l'eau brouillée par les petites lamelles d'onde nerveuse. Hachée menue, sa face. Gossée par les vaguelettes. « Ma face est molle... » Il crache encore sur sa face. « L'étang gosse ma face comme un canif... L'étang bat ma face comme un

moulin à battre qui bat les épis d'blé... » Et il pense à la
balle qui virevolte dans l'air avant d'aller dormir dans les
mauvaises herbes. « C'est coupant comme des lames de
rasoir, l'eau. Une face, c'est comme une vraie farce dans
l'eau. » Ti-Jean regarde au fond de l'eau. C'est plein de
sortes d'affaires. Y a un journal déchiré qui s'échiffe au
fond à côté d'une vieille boîte de sardines qui rouille. Ti-
Jean peut lire une manchette sur le journal : SAWCHUCK
REPÊCHÉ PAR CHICAGO. « R'pêché !... Gueurlot, son affaire !
Y est plutôt nèyé comme y est là, c'est ça qu'y veut dire,
là, lui ! » Il part à rire. Seul. Le fou rire. Encore le fou rire
qui lui court l'œsophage au gorgoton et qui le redresse,
debout, au bord de l'étang. Puis il arrête de rire. Il regarde
devant lui. Il regarde le talus de l'autre côté de l'étang. Il
pense à l'image du journal au fond de l'eau. L'image est
restée dans sa tête, imprimée. Il pense au journal qui
pourrit au fond de l'eau. Un journal pas plus et pas moins
éphémère que les autres. Pas plus, pas moins éphémère
que la boîte de sardines vide qui bâille sa rouille à côté.
Pas plus. Pas moins. Passagers tous les deux. Fragiles.
Comme lui. Comme tout. « Fragiles comme ma face »,
pense Ti-Jean. « Un jour j'vaudrai pas l'diable mieux
qu'une boîte de fer blanc qui rouille dans l'eau... J'me
sens rouiller... Rouiller c'est ça vivre... On finit par en
pourrir de vivre. Pis pour mon cas, c'est peut-être pas si
loin que ch'pense. Y vont trouver Bouboule la tête ef-
fouèrée. Y a des témoins qui vont venir voir dans le fond
de cour. Pour pouvoir dire après qu'eux-autres y l'ont vu
le mort de la rue Evans. Y vont parler d'un maniaque... Le
maniaque au tournevis. Ou ben le maniaque à la grosse
roche pesante... Ça va intimider les mécaniciens pis les
maçons... Un maniaque... » *Le tueur aura plus droit à son*
existence passée et à venir. Il sera simplement un tueur.
Pour tous les badauds de la bêtise qui s'engraissent à

même la graisse des scandales, l'assassin aura existé
seulement que le temps d'être écoeurant, sadique, ma-
niaque. Avant ? Après ? Peu importe. Un tueur, c'est un
tueur, c'est rien qu'un tueur, ça sera toujours un tueur.
Figé dans le temps, dans l'éternité. Il ne faut surtout pas
qu'il soit autre chose. On dira qu'il n'a ni passé ni futur.
On a besoin du Tueur éternel, figé dans une réputation ou
une photo, pour oublier qu'on peut en être un. Il faut
surtout pas que le tueur soit autre chose que le granit ou
le papier encré qui le figent dans le temps et qui nous
rassurent. Faut pas qu'il soit autre chose, ça compliquerait
tout. Le tueur est né en tuant, il est né dans les journaux, il
est né d'un corps qui pourrit, il doit mourir tueur, tué.
Pendu. Les tueur c'est une race. Une espèce, une sous-
espèce humaine. Un mystère. On veut rien savoir de leur
vie avant l'assassinat. Ils sont nés dans les Évangiles à
scandales. Ils sont terrifiants. Ils sont sensationnels pour
un temps puis après, leur pays, c'est la prison et la grande
pénitence. Ou le remords. Ou l'absence de remords. Leurs
moeurs ne sont pas ceux des badauds de la bêtise. Les
assasins et leurs victimes forment un monde à part. Un
monde maudit. C'est écrit. C'est écrit dans les Évangiles
à scandales. On peut pas effacer ce qui est écrit. Ou peut
pas, on veut pas. On peut pas changer ce qui est écrit. On
peut pas et on veut pas. Seuls les badauds de la bêtise ne
meurent jamais, ceux qui peuvent s'indiquer du fond de
leur balcon ou de leur cuisine ou de leur salon. Les
badauds de la bêtise sont là, ils sont toujours là pour
témoigner de leur éternité et eux contre celle des autres.

Ti-Jean pense.

Des fois il parle dans sa tête.

Il cogite.

Il pense, il parle dans sa tête : « Y en a qui vont dire
oui, ben oui, on sait pas si c'est la tête à Bouboule mais le

linge plein de sang c'est le linge à Bouboule. Tout le monde le connait, Bouboule. Y a peut-être un permis de conduire sur lui. La féfille du restaurant va parler. A m'a vu sortir après lui. Y en a d'autres qui vont le dire : ben oui, on a vu un gars qui est sorti tout de suite après Bouboule. Y avait un coupe-vent bleu pis y avait l'air fou. Y avait l'air d'un maniaque. Pour moé, c'gars-là, ça devait être un maniaque. Parsque y avait des épaules et pis un tueur, on l'sait, ç'a des épaules. Y était pas normal, ça se voyait : y avait l'front tout plissé pis les yeux grands comme des trente-sous. Y avait les cheveux durs pis longs, un vrâ bomme ! »

Ti-Jean s'arrête un instant de penser. Il écoute le silence du parc.

« Non, pense soudain Ti-Jean. Non. Vouèyons donc. Qui c'est qui va aller dire ça. Y a personne qui m'connaissait dans c'te maudit restaurant d'barbus-là. C'était jusse la deuxième fois que j'y allais. J'étais déjà allé une fois avec Philomène mais j'avais jusse faite entrer pis sortir. J'aimais pas ça c'restaurant-là ! *Y a personne qui t'connaît pis y a personne qui t'a vu, énerve-toé pas, Ti-Cul Ti-Jean.* Y vont l'trouver mort, Bouboule, la tête écrasée, c'est toute, pis y sauront jamais qui c'est qu'y a faite ça... *Mais y vont savoir que Bouboule y fourrait Philomène... !* Yves, le p'tit chien sale, y va aller dire à la police qu'y me l'avait dit, ça, l'après-midi ! La police va dire que c'est un crime passionnel, c'est ça, *on connaît ça nous-autres.* Pis y vont m'chercher ! Mais les hosties... En tout cas... En tout cas si y courent après moé, y m'auront pas vivant ! Parsque ça va être comme dans *Allô Police,* y vont publier le portrait d'ma face avec un numéro long comme le bras en dessous ! Ouâ ! Mais moé ch'sais qu'chus pas un bandit comme dans *Allô Police.* C'est impossible, ça s'peut pas. Ça s'peut pas que ch'soye un bandit comme dans

Allô Police. Ça s'peut pas, c'est des fous ces gars-là, tout l'monde a peur d'eux-autres, y battent leur femme, c'est des chiens. La police les met en prison pour pus qu'y nuisent. Chus pas beau, oké, correct, mais chus pas un tueur à cause de ça... Non... Non, c'est pas ça. C'est pas ça qu'y vont faire. Y vont penser que c'est une affaire de pègre passque Bouboule y vendait des goûffes pis du pot, c'est ça. Y vont dire c'est un gars d'la pègre parsque la pègre y s'tuent entre eux-autres... Ah ! pis han ! Fuck ! Y feront ben c'qu'y voudront... ! »

Ti-Jean secoue la tête pour chasser ses pensées comme des mouches ou comme des maringouins qui arrêtent pas de siler pis de piquer. Il a même pensé à se sauver. Il en a pas le goût. Ça lui dit rien. Y aurait une guerre, y bougerait pas. C'est ni dans son sang, ni dans ses pattes. Il colle à Montréal comme l'asphalte au sol. Il pense encore : « Y arrivera ben c'qui arrivera ! » Il essaie de penser à autre chose qu'à Bouboule.

Il pense à sa grand-mère qui fabriquait des tonnelets avec du papier-mâché. Le journal au fond de l'étang aurait pu servir à ça. Ti-Jean aurait pu fabriquer une grosse boule de papier-mâché avec le journal. La boule aurait séché et serait devenue dure comme du bois. Plus dure encore que la tête de cochon à Bouboule. « Tant pis pour lui, pense Ti-Jean, c'était à lui d'pas faire le chien ! »

Il secoue encore la tête. Il ne veut pas penser à Bouboule. « Ah, oui... les petits barils. J'pensais aux petits barils. Y avaient environ trois pieds de hauteurs pis un petit peu moins qu'un pied de circonférence... *Circonférence* : J'ai pas faite mon cours secondaire pour rien, j'ai du vocabulaire... Pis j'ai d'la mémouère... Ça ressemblait à des tams-tams d'Indiens, les petits barils. C'est là dedans que ma grand-mère a mettait sa catalogne pis ses aiguilles. Quand a les barbouillait toutes sortes de couleurs, moé ch'pensais aux poissons d'bonbon dans le bocal brun de la pènetrie. Toutes sortes de couleurs. Du violet pis du jaune... Des couleurs un peu comme quand ch'sors saoul d'la taverne... Le soir... Toutes sortes de couleurs... Du jaune, du bleu tout en zigzag, du noir aussi, du rose... Pis du rouge, encore du bleu, du pâle, du foncé... C'était surtout rouge... Ben plus rouge qu'les lèvres à Bouboule quand j'd'y ai pété sa gueule avec mon talon ! C'est vrai qu'y faisait noir, le rouge était moins clair. C'te maudit baveux-là... Y pouvait ben chiâler... Non, mais c'était d'voir la face à Berthe ! A savait pus si y fallait avoir peur ou ben don'rire, ou ben don' êt'surprise... Calvasse de plote !... »

Ti-Jean rit. S'arrête.

Il est toujours dans le parc, les yeux fixés sur le talus de l'autre côté de l'étang. Les bancs de bois peinturés vert son alignés, assis, rigides comme des soldats le long du trottoir qui longe l'étang, assis, assis comme des comédiens de bois sur une scène. Derrière Ti-Jean. Y attendent. Ti-Jean.

Ti-Jean recule un peu. S'assoit. « C'est-tu drôle ! Faut que j'soye debout ou que j'marche pour pouvoir penser. Ça doit être ça qu'ça veut dire « penser avec les pieds ». Chus comme un djouk-box. Ma tête est comme un vieux djouk : faut que j'la brasse pour qu'a joue... C'est-tu drôlement faite, la tête pis l'corps... Le monde... »

À sa montre, il est sept heures du matin. C'est un matin gris. C'est l'automne qui commence. Mais c'est chaud, c'est comme l'été en plein automne. « C'est pour ça qu'chus triste... L'automne c'est mort comme Bouboule pis mon amour de cave... C'est drôle... J'ai tué Bouboule... On dirait qu'c'est même pas vrai... Comment ça se fait ?... Bon ! Bon ! Niaise pas, Ti-Cul Ti-Jean ! T'essaye trop de te tranquilliser, ça va t'jouer des tours ! »

Ti-Jean frissonne dans sa fatigue. « Ça m'achalle que l'matin soye gris. Si y avait du soleil, j'penserais pas à Bouboule... À Philomène... À Berthe... Berthe ! Non, mais c'était d'y voir la face ! Une maudite belle boîte, en tout cas... Non, mais l'as-tu vue... ! » Ti-Jean écoute le parc. « Au moins y a deux trois p'tits moineaux. Pit ! Pit ! Pit ! Maudit qu'chus nono... Les p'tits moineaux. Le jour on les entend pas. C'est parsque y a du bruit. Chus çartain qu'y font pit ! pit ! tout le temps. Pis l'soir, y s'couchent... Aurore, délice et barbe font un cave dans un matin... Comme dans grammaire... Ma main m'pique... J'la gratte sur ma barbe... Ma Mémène, ma chienne, qui s'y frotte s'y pique... Embrasse-moé... T'es rien qu'une chârogne mais embrasse-moé quand même... Ch't'haïs mais ch't'aime... Endors-toé dans mes bras... Du parc à l'appartement y a d'la longueur d'un nez... J'ai pas envie d'voir plus loin que l'mien... »

Ti-Jean se rappelle la nuit qu'il a passé. Après avoir tué Bouboule, avant d'aller chez Louise. Il a marché. Les criards des totos résonnaient dans la ville. Y avait de l'écho. « L'écho des totos, ma toutoune... La ville, c'est pas disable, la nuit, c'est pas du monde... C'est mort. C'est l'été... C'est comme une mer morte, la ville. Le vent est tiède. Le vent frôle les feuilles des arbres. Les arbres sont chatouilleux. Les moteurs d'autobus grugent le vent tiède. Leur bruit s'attendrit dans le soir, dans la nuit... Les autobus passent pis on se demande pourquoi... Y a personne dedans la plupart du temps... Comme des corbillards vides... Personne dedans, personne sur la rue, personne... » Il s'en souvient de sa nuit, Ti-Jean. On aurait dit que la ville s'était alitée. Un vrai lac, la ville. Les klaxons criaient et striaient la nuit et le silence comme d'un coup de pinceau trempé dans la peinture blanche, ça brillait dans ses oreilles. Puis les criards éperdus se taisaient en enten-

dant l'écho de celui qui mourait... Qui ressemblait tellement aux cauchemars de celui qui conduisait son auto
quelque part et qui appuyait sur le ventre du volant comme
sur un ventre de femme où une demi-lune chromée attend
une pression de la paume pour exister... Crier... Comme
un bébé... Les totos.

Ti-Jean, en marchant cette nuit, s'était mis à penser
aux gens couchés, à ceux qui dorment et à ceux qui ne
dorment pas. À ceux qui rêvent après leurs pâmoisons de
corps, poussés à bout de fatigue comme des locomotives
dans des pentes. Il s'est mis à penser aux agonies. Aux
assassinats qui fournissent pas à vider les pouponnières et
les maisons trop pleines d'enfants, de gars fatigués, de
femmes en robes de chambre avec des jambes striées de
rayures bleues en relief comme les rayures du faux marbre,
des jambes avec des bas-nylon déroulés sur les chevilles
comme des masques encombrants, achalants, qui tombent
d'eux-mêmes à force de trop se sentir risibles, inutiles.
Les varices.

Ti-Jean pensait aux pouponnières que les assassinats ne videront jamais, ne parviendront jamais à vider,
des pouponnières ou des orphelinats qui regorgent de
toutes sortes de bébés, des beaux, des laids, des malin-
gres, des gras, des boursouflés, des malades, toutes sortes.
Des enfants qui appartiennent à quelqu'un ou qui, de
toutes manières, ne s'appartiendront jamais. La vie qui
pousse en tous sens. « Quand est-ce qu'on va pouvoir
s'appartenir rien qu'un p'tit peu ? J'aurais pas tué Bouboule
si Philomène m'aurait pas tenu par les gosses. C'est d'sa
faute ! Ou d'la faute que chus maquereau. Ah ! Ch'sais
pus !... Chus pas toute à moé... »

Tout ce qui arrive, ça le dépasse, Ti-Jean. La vie, ce
maudit mystère, ça le cale. Y veut rien savoir, plus rien
savoir, rien.

Sa nuit, à Ti-Jean, était tiède. Il avait chaud à marcher. Une chauve-souris émettait à intervalles réguliers des cris pointus, gratuits, puis elle se taisait ou bien elle s'éloignait. Près des réverbères, les feuilles des érables étaient crémeuses. Dans l'ombre, elles étaient brunâtres, incertaines, les feuilles. La ville était assommée, engourdie, effrayante par bouts. Tout le monde était effouèré dans ses chicanes. Tout le monde rêvait à des affaires impossibles. « Faire des affaires... Tout le monde veut faire des affaires... Tout le monde fourre tout le monde... J'ai ben faite de tuer Bouboule... Ses talons font de l'écho... Je l'entends marcher dans la ville... Comme un p'tit bébé... Qui va m'sauter au visage... La ville singe tous les bruits, la nuit... Pis Bouboule crie. Pis moé aussi. »

Quand une auto passait, ça ronronnait fort à côté de Ti-Jean.

Puis le ronronnement du moteur s'éteignait en s'éloignant.

« Mon frigidaire, pense Ti-Jean, y ronronnait dans mon dos pareil quand j'lisais des livres avec des belles plotes. Ou les journaux. Toutes sortes de journaux... Des cochons. Des pas cochons. La politique, j'aimais ça aussi mais c'est ben sale... Pas mal écoeurant... Y a même un gars qui m'avait accroché une fois dans une taverne pour me dire qu'il fallait « militer » comme y disait. Y disait « Lénine », « Staline », ch'sais pus... « Militer », c'est un mot que ch'connais, j'y ai dit ça, depuis ben longtemps... J'aimais ça, c'mot-là... À l'école, le maître y nous en parlait de « militer »... Lui, c'était dans l'Église militante... Y disait que c'était nous-autres, ça, c'était les hommes vivants pis les femmes, pis les enfants aussi, tout le monde dans le même bateau... Y fallait êt' contre tous ceux qui faisaient des péchés mortels pis qui allaient pas à messe catholique. Mais j'voyais personne militer comme le maître y disait, personne dans mon boutte... J'nous voyais quand même militer dans ma tête. Ça c'était quèq'chose. On partait en gagne pis on montrait au monde qu'on avait du coeur au ventre. On donnait le bon exemple dans l'autobus. On s'fiait à l'Évangile. On contait pas de menteries. On faisait comme que Jésus-Christ y disait d'faire d'après l'maître d'école. On s'crossait pas. Ça devait être écrit dans l'Évangile, ça : tu te crosseras pas. Tu fourreras pas avant de te marier. Tu mangeras de la marde afin de mériter la vie éternelle. Tu iras à la messe et tu seras sauvé. En tout cas, dans ma tête, militer c'était qu'on fourrait pas de femmes parsqu'y fallait pas l'faire avant l'mariage. On riait pas des autres. On riait pas de la police. On parlait pas anglais. On était pas protestant. Tu voés l'affaire ? Pas de péchés. Moé j'étais ben prêt à toute faire ça. Ça fait qu'j'ai essayé. Pour de vrai. Mais j'étais l'seul dans gagne à faire comme Jésus-Christ. J'me sus tanné vite, j'avais pas envie de m'faire planter... Les autres, y niaisaient. Ou ben don' y parlaient, y parlaient, y parlaient pis y faisaient rien. Dans le fond, y voulaient juste mettre leur gros cul sale su l'Christ pour sauver leur maudite âme de crotte pis leur hostie d'avenir comme on disait à l'école... Y faisaient semblant d'êt'ben chrétien mais dans l'fond c'était rien qu'des chiens-sales pis des phônés qui voulaient dominer l'monde pis avoir tout le temps raison. J'me sus tanné. J'ai colissé ça là, c'est de même. Y a toujours un maudit boutte d'être tout seul dans l'affaire... J'ai jamais aimé ça m'faire niaiser... J'ai dit à Jésus-Christ d'manger d'la marde longue de même pis j'ai commencé à m'crosser en pensant à Marie-Madeleine. Les gars, eux-autres, y m'ont envoyé chez l'diable... Y pouvaient pas m'envoyer ailleurs... Pis de toutes façons, la vie c'est un enfer, autant l'savoir tout de suite. En enfer ça doit pas êt'pire. Tu prie le Bon Dieu pour oublier que tu y es en enfer. Que tu vas y rester même après ta mort, dans l'enfer, parsque tu vas pourrir dans terre... En attendant, moé j'm'arrange pour vivre quand j'en ai envie... Ch'comprends rien là dedans, la vie, ça fait que j'veux rien savoir de ceux qui vivent. J'sais pas trop c'que ça veut dire mais en tout cas. Même si j'voulais savoir quèq'chose de ceux qui vivent y pourraient rien m'dire, y connaissent rien, y en savent pas plus que moé. Les morts en savent plus, c'est sûr, mais c'est de parler avec : ch'sais pas comment faire. Pis j'ai demandé au gars qui voulait que j'milite dans politique : « C'est-tu-vrai, c'que j'dis, oui ou non ? » Le gars faisait la baboune. Y retroussait l'nez. Y était pas content. Y aimait le gars qui faisait la révolution, « Lénine ». Y aimait ben ça aussi, l'autre, « Staline ». Y aimait pas Hitler, y faisait une différence. Pas mal compliqué. Y voulait que m'milite mais moé ça m'écoeurait. Pis j'ai continué à y parler. Y m'écoutait, ça devait être pour que j'y parle même si c'monde-là on a toujours l'impression que y ont rien à apprendre. Ça fait que j'y ai dit que Marie-Madeleine était comme Marylin Monroe, ètait blonde pis a mariait ben des hommes... Jésus-Christ devait être en crisse mais ça, chus pas sûr, on peut pas toujours dire, pis Jésus-Christ, y est pas cave, y est ben correct. En tout cas, moé, ch'cherchais du monde que ça dérangeait pas, ça, Marylin Monroe pis Marie-Madeleine. En tout cas, les pécheresses, moé, j'avais fini d'êt' contre ça, j'les aimais, fuck. J'avais quel âge, donc ? Quatorze, quinze ?... Ch'sais pus... Chus allé pogner l'cul d'la blonde à Robert... « Suce-moé, Ti-Jean », qu'alle a dit... Moé j'me sus senti tout drôle... C'était sec pis gonflé dans ma gorge, t'sais, la sensation ?... En tout cas. A s'est assise sur le fauteuil dans cave chez Robert. Robert était pas là. J'me sus mis à sucer sa blonde entre les cuisses, sur le doux. Ça goûtait salé. Ça m'écoeurait un peu, c'était la première fois. Disons qu'ça surprend un peu. J'me sus vite habitué, c'est comme les épinards, on finit par aimer ça pis c'est bon pour la santé. C'que j'aimais surtout, j'y ai dit après à blonde à Robert, c'était d'la voir gigoter pis s'morfondre. Alle a ri quand j'y ai dit. Pis j'y ai dit que j'aimais ça la voir gigoter de même parsque j'trouvais qu'alle avait l'air niaiseuse pis que plus alle avait l'air folle, plus que j'aimais ça pis plus ch'tétais. A m'a donné une claque dans face. Ça fait que là j'y ai crié : « Suce-moé astheure, crisse ! c'est ton tour, envouèye ! » Elle, a disait : « Comment... ch'sais pas si j'veux... » Moé j'y disais : « Suce ! ch't'ai sucée, mon hostie, suce-moé sans ça m'as tout dire à Robert ! » Là, alle a dit : « Oké... » J'étais bandé une affaire effrayante. Pis alle avait l'air folle encore plus. J'y ai encore dit. A m'a dit : « T'haïs les femmes, Ti-Jean. » J'y ai dit ch'sais pus quoi, que ch'savais pas c'qu'a voulait dire. J'voulais qu'a plie l'cou devant moé... J'ai trouvé ça assez chaud quand a m'a mis la bouche autour, crisse, ch'comprenais pourquoi qu'alle avait gigoté tant que ça, elle, quand j'y avais passé ma langue su l'piton. La maudite folle a m'transformait en maudit fou. Pis quand alle a eu fini, la bouche pleine, j'me sus étendu une heure su l'fauteuil. Alle avait pus l'air folle pis j'avais pus l'air fou. Mais elle, a m'disait que j'étais pas beau. Pis ça, je l'avais sur le cœur. À m'trouvait pas beau mais a m'trouvait plus cochon que Robert. C'est pour ça qu'a cherchait les coins noirs avec moé. C'était pour que j'y passe la langue dans craque. Ma lèvre sentait fort après, pis j'aimais ça. Mais un beau jour me sus tanné d'elle. J'étais tanné de m'faire dire que j'avais une grosse face laide. J'y ai dit, à Robert, que j'la suçais entre les deux cuisses, sa blonde. Y a pâli raide mort pis y est parti raide sec, l'air en tabouère. J'ai jamais revu sa blonde entre les deux cuisses comme avant. Rien que sur la rue, des fois. La plupart du temps de loin. Ch'changeais d'trot-toir quand j'la vouèyais, ça m'gênait d'voir qu'a m'aimait pus, a m'disait même pus « bonjour ». Robert est venu me l'dire, après, qu'y suçait sa blonde comme que j'faisais, pis qu'y devenait cochon... Y fallait, pour qu'y garde sa blonde. L'écoeurant, y était plus beau qu'moé pis y deve-nait cochon, y avait toutes les chances de son côté. Tout ça pour dire qu'y faut faire confiance à personne, ni aux militants d'églises, ni à Lénine, ni à Hitler, ni à blonde de ton tchomme ni à ton tchomme. Donne-leu des conseils pis y vont s'en servir contre toé, garanti ! »

Le gars à qui Ti-Jean avait parlé cette fois-là, s'était levé, les lèvres pincées, pis y était parti.

Ti-Jean avait continué tout seul à parler avec son verre.

Comme dans le moment y marche tout seul dans le parc Lafontaine. « Les totos. Les bébés. Bouboule criait dans la nuit. J'ai le goût d'enlever ma vieille peau pis d'en mettre une autre. Bouboule, les totos, les bébés, ça se ressemble. J'aimerais ça, devenir un bébé. Pour jouer avec des totos. C'est comme ça qu'on appelait ça quand j'étais petit : des totos. Je les faisais rouler sur les dessins du prélart. Je leur faisais des chemins avec de la terre dans la cour en arrière, de la boue, de la gravelle. Bouboule. Je l'ai tué pis c'est comme si j'avais tué un p'tit bébé. C'est cave. C'est drôle comme les criards des totos ça me fait penser à des p'tits bébés. »

32

Oui. Des cris de bébés dans la ville alitée. C'est l'été en automne. Montréal est une île meurtrie. Une île mouvante et sonore comme une mer qu'on tue. Le Fleuve s'est figé autour de l'île comme de la fonte humide et grise. Le Fleuve veut dormir. Rien ne l'en empêchera. Le Fleuve est un anarchiste. Quand il voudra envahir l'Île, il le fera. Quand il le voudra. Et ne criez pas que vous voulez tous mourir. C'est inutile. Vous n'avez même pas besoin de le vouloir. La vie s'en charge à chaque instant. Le suicide n'est ni une question de lâcheté ni une question de courage. Ce n'est même pas une question. Ce n'est même pas un problème. C'est un acte. Naître, c'est se suicider. Nous nous suicidons tous. Faites le tour des usines, faites le tour des clubs de nuit, les très riches et les très pauvres, faites le tour des journaux et des milieux d'artistes et d'intellectuels, regardez-les se déchirer les uns les autres, regardez-les s'entre-détruire, regardez-les s'auto-détruire. La différence dans les orgies entre l'Est et l'Ouest le soleil se couche. Dans l'Est on s'assomme et dans l'Ouest on s'amuse. Dans l'Est on se pacte, dans l'Ouest on s'amuse, on prend une cuite. Pis partout, à l'Est comme à l'Ouest, y a toutes sortes de gagnes qui se cachent dans leur ghettos en s'entourant de lois pis d'clôtures. Fuck.

Le Fleuve, c'est une bande hernière. Montréal s'est crevée. Tous les soirs, tous les matins, sauf les matins gris, le rouge du soleil dans l'eau c'est le sang des insulaires qui se dilue, indifférent, dans l'eau froide et figée. Montréal est comme une grosse tomate de sang. Montréal est un râle. Un braillage de bébés. Ça finit plus. Un long meuglement de criards de totos. Montréal c'est une île torturée, assommée, hideuse dans sa poliomyélite. Montréal étendue dans ses meurtrissures sous la lune.

Montréal tannée.

Montréal monnayée.

Montréal en maudit.

« Gagne de chiens ! »

« Qui ça ? »

« Tout l'monde ! Fesser ! Frapper ! »

L'air sent la violence à plein nez, le gaz carbonique et le mensonge.

Et la tendresse, parfois, quand un arbre prend un couple par la taille dans un large et muet bras d'ombre.

Quand Ti-Jean croisait des gens sur la rue après avoir tué Bouboule, après avoir quitté le fond de cour de la rue Evans, ce qui le surprenait le plus c'était de constater, même s'il cherchait dans les gestes et dans les visages des gens des indices du contraire, c'était de constater, malgré lui, toujours, que ces gens qu'il observait et regardait d'un air fuyant semblaient tous ignorer son crime.

Ça ne parvenait pas à lui entrer dans la tête, cette ignorance des gens à l'égard de ce qu'il avait fait. Ti-Jean restait incrédule. Ce refus. Ce refus de constater que lui, Ti-Jean, venait de tuer Bouboule. Personne, sur la rue, ne l'arrêtait pour lui demander si c'était bien lui, Ti-Jean, l'assassin de Bouboule. Personne. Et il y avait à peine dix, quinze minutes, une heure que tout ça venait d'arriver.

On ne devient peut-être un véritable assassin ou un criminel que lorsqu'on nous l'a fait sentir ou qu'on nous a répété cent fois qu'on en était un. Peut-être. Mais Ti-Jean ? Peu à peu, après son crime, Ti-Jean s'était convaincu lui-même qu'après tout, un tueur c'est un homme comme les autres. Ti-Jean était même un peu déçu d'avoir tué Bouboule. Il était tendu en dedans, mêlé, il ne savait plus ce qui était vrai, ce qui était faux. Il regrettait — et en même temps il avait la nostalgie de sa rage et de son obsession avant le coup de tournevis dans la gorge. C'était ça qui était bon. *Sans crime, il était mort.* Maintenant que tout était fait, que Bouboule était mort, il avait le goût de recommencer à haïr quelqu'un mais cette fois il attendrait plus longtemps avant d'y planter un tournevis dans le gorgoton... Pis après... Tout serait à recommencer. Il entendrait encore crier Bouboule dans la nuit, comme cette nuit. Pis ça, y avait l'impression qu'y pourrait pus l'endurer. Qu'y pourrait pas. « Maudite vie plate... C'est comme avoir envie d'une femme... On la tasse dans un coin, on y ouvre les deux cuisses, on y passe un coup de langue... Le lendemain faut recommencer... Ça finit jamais... Si y faut que j'me mette à tuer autant de fois que j'ai fourré... Ça finira jamais... On est jamais content... »

Vers le matin, comme on l'a vu, après être sorti de l'appartement de Louise, Ti-Jean avait marché jusqu'au parc et s'était amusé à cracher dans l'étang au parc Lafontaine. Pour faire des petits bruits échos à la surface de l'eau. Pour troubler le silence dont il avait besoin. Par irrespect. Par fascination. Ou rien que pour faire apparaître des rondelles d'eau grouillante, comme des petits cercles de Jell-O gris et transparents qui s'agrandissaient en vibrant sans arrêt. Comme un abîme dans lequel il avait le goût de plonger et qui lui ressemblait.

Puis après être allé s'asseoir sur le banc, après s'être rappelé sa nuit et d'autres souvenirs, Ti-Jean s'est levé et s'est détourné de l'étang et il a marché jusqu'aux limites du parc Lafontaine. Vers le nord. En pensant parfois à la féfille du café. Qui était peut-être la blonde de Bouboule. Qui le regardait peut-être en ce moment. Dans sa tête ou dans le parc.

34

Ti-Jean hésite à l'orée du parc au coin de Marie-Anne et Papineau. Vers où aller ? Vers l'Est ? Vers l'Ouest ? Vers le Sud ? Vers le Nord ?

Un instant l'image vive de la féfille du café traverse encore son esprit, tellement vive que c'est comme si elle était là, pas loin, à le regarder. Il secoue la tête. Il veut oublier tout ça. Il ne veut plus penser à rien de tout ça. Il veut se rouler une cigarette. Il fouille dans ses poches de coupe-vent. Sa main heurte le tournevis. Il sort le tournevis de sa poche, marche un peu le long de Marie-Anne et jette le tournevis dans une bouche d'égout. Il fouille encore dans ses poches. Il veut fumer. Il n'a plus de tabac. Il fouille dans les poches de son vieux pantalon brun. Il n'a plus une cenne.

— Plus une cenne, crisse, murmure-t-il.

Cassé.

35

Interlude

(Extrait des carnets de Ti-Jean.)

Bon. Tout exprimer dans une seule phrase, par un seul mot, en un seul son. Ça serait trop facile. C'est pas possible.

Y a pas un mot qui résume tout. Comme y a pas un seul maudit principe qui tienne le coup devant la vie. Qui s'énonce sans mauvaise conscience devant la vie. Dans la vie que je devrais dire, dedans.

Y a pas de phrases clés. Y a des clés tout court. Clés de prison. Clés de la caisse. Clés de ma chambre. Y a pas de mots clés.

Combien de livres pour raconter tout de qu'y a à raconter ? Avec des mots vrais sans trop de majuscules ?...

Vivre. Recommencer pis recommencer encore. On est jamais content. On récidive, on récidive tout le temps.

Tout le monde est comme ça. Des récidivistes. Mais on peut pas les fourrer tout la gagne en prison. Parce que ça serait injuste ? Non. Mais parce que ça prend du monde pis encore du monde pour s'atteler au capital pis suer au bacul de huit à dix-huit heures par jour. *Prison pour prison, certains vous diront qu'ils préfèrent celle du capital.* À Bordeaux, y a pas de femmes. C'est peut-être pour ça qu'ils préfèrent la ville de Montréal. À Fullum, y a pas d'hommes : cherchez pas plus loin. Faut plus vous demander pourquoi y a des assassinats qui se font pas. Des vols qui se font pas. Des viols refoulés. À tout prendre, on préfère la ville de Montréal à la prison de Bordeaux. Il arrive que des gens changent d'avis. Ils n'ont pas tort.

Pourtant on tue, on viole, on vole, on assomme, on est chien à Bordeaux comme à Montréal. C'est des humains partout.

On est un peu mêlé. Nos idées vont peut-être se replacer. On tourne en rond en tapant du pied. On vire de bord. De l'autre côté.

— De l'autre côté, on s'est trompé !

De l'autre côté aussi, on s'était trompé. La vie c'est comme un sel câlé. Ça prend un maudit souffle. On l'a pas toujours.

On est tout le monde égal devant la mort. Excepté quand y s'agit de payer le service. On a pas tous le même moton. L'Église pense même à permettre l'incinération de ses cadavres à elle. La religion des cassés, mais surtout celle des riches. Un cadavre ça revient moins cher brûlé.

Moé brûlez-moé. Donnez mes cendres aux enfants fous et aux plus belles femmes du monde. Dites-leur d'en mettre une pincée, une petite pincée sur le trottoir, l'hiver, quand y a de la glace. Moé brûlez-moé quand ch'serai mort. Dites-leur de m'oublier par petites pincées à chaque hiver.

Si y refusent, si ça les refroidit de me savoir incrusté dans la glace vive quand eux-autres y sont au chaud en-dedans, dites-leur sans les brusquer, en leur *expliquant comme vous l'entendrez, que c'est peut-être mieux comme ça, dites-leur de faire don de mes derniers atomes à voirie municipale. J'aurai mon nom parmi ceux des bienfaiteurs de la cité. Et je pourrai regarder le ciel en vous voyant marcher.*

2

MOC

(Confessions de Ti-Jean)

36

Je sentais toujours en moi les craquements d'os du crâne à Bouboule. Le sang. On aurait dit que j'avais Bouboule dans la tête et dans le cou. La féfille du restaurant avec la pupille de serpent s'appelait Monique. A s'faisait appeler Moc. Elle m'avait suivi jusque chez moi. Elle était là, elle avait encore rien dit. J'étais envahi par des sensations d'écrabouillements d'os, de craquements de gorge. Le serpent dans ses yeux. Les yeux de la fille. Je voyais comme une peau de serpent qui ondulait, comme la surface molle d'un immense océan blanc chair dans ses yeux, ça ondulait comme une raie blanche, j'en avais vue une une fois, dans un film, au fond de la mer. C'était comme un gros serpent plat. Autour de Moc, autour de la fille, c'était noir. Moc a faisait du noir autour d'elle, a faisait comme une suie, un gaz noir. A restait longtemps dans un coin de la chambre à fumer son maudit stuff, la jupe erlevée, la blouse ouverte et tombante autour d'elle comme une pétale de glaïeul noir.

Moé, j'avais mon clou.

Un clou. Un clou dans l'cou.

C'était plein de monde qui venait dans ma chambre sur Jeanne-Mance.

J'sais pas si y sentaient le noir de nuit tiède qui enveloppait tout le monde tout le temps depuis que la féfille était entrée dans ma chambre. C'était tiède, tiède comme du sang. Des fois l'air, l'été, c'est comme ça, quelque chose de tiède et de collant. C'était comme si j'avais tenu ma main sur la vulve à Moc avec ses menstruations. Pas rien que ma main : toute ma peau. Mais c'était peut-être pas ça, c'était peut-être le sang de Bouboule, le sang de Bouboule qui était devenu du sang de pensée, du sang dans l'air, du sang qui voyageait ou qui collait dans l'air comme l'écho de ses pas que j'avais entendu dans la ville. Du sang qui se cherchait du sang ou qui se cherchait une peau. J'ai peut-être couché avec Moc aussi, je l'sais pas, j'en ai perdu des bouts. J'avais un clou dans le cou, ça faisait mal, j'arrivais pas à le péter tout seul, ça avait poussé le lendemain de Bouboule.

Y venait du monde. Y venaient. Y venaient chez moé.

Y vient toujours un temps où on a besoin des autres. C'est comme ça. Un clou dans le cou, une douleur purulente et on conscrit le monde entier. Sans leur dire. Ils viennent chez moi. Je les retiens dans ma chambre sans rien dire. Presque. Pour parler. Pour qu'y parlent. Pour qu'y disent n'importe quoi, pour parler. Ils sont là, dans ma chambre de la rue Jeanne-Mance.

Je ressemble à Ma'ame Chose qui fait son lavage le lundi, pas loin, quand y vente, quand y fait soleil. Avec mon foulard saumon autour de la tête. Mais ici y fait noir. Le pansement humide dégoutte dans mon cou, humecte ma chemise verte.

Ils sont là. Suzanne, la femme de Jean-Paul, fait le ménage. Y m'prennent en pitié. Ma taie d'oreiller est jaune de crasse et d'onguent. L'onguent que j'employais il y a un an pour anéantir un autre clou que j'avais en plein front. L'onguent que j'applique sur mon clou colle à la taie d'oreiller parce que je n'ai pas de diachylon, ni ouate, ni rien, pus une cenne, pus une maudite cenne, juste un peu de tabac que j'ai retrouvé, c'est vrai un peu de tabac blond au fond d'un paquet bleu, au fond d'un paquet mou.

Moc fait la gaffe pis vend son stuff. Comme Bouboule faisait. A paye la chambre. A me regarde du coin de la chambre. Alle a une petite face sexée. A sait toute sur Bouboule. A m'fait un peu peur. J'ferme ma yeule. J'me sens mal.

Quand Pierre est venu sonner à matin je me suis levé de mon lit, cou bandé, raide comme une barre de fer. J'ai regardé l'heure au cadran. Il était huit heures trente du matin. J'ai pensé qu'il était huit heures trente du soir. « Sac ! J'ai dormi au moins quinze heures d'affilée ! » En tout cas c'est ça qu'j'ai pensé tout de suite. Pis j'ai pensé encore : « Moc, a m'dôpe. »

Mais dès que j'me suis levé, j'me suis senti reposé de la tête aux épaules.

Le clou bloquait la sensation de repos au niveau du cou. Je me sentais vidé par le sommeil. Absorbé par le sommeil, bu par le réveil-matin, par les aiguilles, la petite, la grosse qui pompent la fatigue de tic-tac en tic-tac.

Moc fumait dans son coin.

Chus pas capable d'la mettre à porte. A m'donne les creeps. Mais tout le monde icitte la trouve ben fine. Moé j'pense que c'est une tueuse. J'dis rien.

Quand Pierre est venu sonner je suis allé ouvrir, raide partout, le pansement dans le cou. Pierre en entré. Avec lui il y avait un jeune collégien terriblement sain de corps, musclé, bronzé, croyant, sportif. Tout d'un coup j'me suis senti vieilli, maladif, raté. Moc a dit : « T'as besoin d'te faire arranger, Ti-Jean. » J'ai rien dit. Y sont entrés, j'ai refermé la porte. On a besoin du monde. De toutes sortes de monde. Pierre a dit : « Qu'est-ce que t'as ? » J'ai dit : « J'ai un capable de clou dans l'cou. »

Moc disait rien. Pierre a dit : « C'est ben noir icitte ! » « C'est à cause d'elle », que j'ai dit, en montrant la petite sainte dans le coin avec sa blouse ouverte jusqu'au nombril pis ses yeux de serpent. Ses yeux ! Ses yeux, crisse ! Vous voyez pas ses yeux ! ?

Y ont rien dit. Y m'entendent pas penser. Y a du monde qui entendent penser, chus sûr, mais pas eux-autres. Y sont venus pour me soigner. Y sont juste venus pour me soigner, c'est toute.

Ou pour m'embaumer.

Un gars qui a tué, faut l'embaumer.

De l'eau chaude avec du citron pis du sel. Une autre recette. Je les ai toutes essayées. Le citron, le sel. Le Javex concentré aussi. Mais pas Monsieur Net, ni l'acide sulfurique : j'en ai pas. Tous mes contenants sont en plastique. J'ai essayé une petite aiguille. J'ai essayé en donnant des coups de poings sur la table — y en a qui se font revoler le chapeau de t'sur la tête en faisant ça, j'ai déjà vu quelqu'un le faire, j'ai pensé que ça pouvait peut-être faire partir un clou. J'ai essayé l'onguent, la rage. Ça marchait pas.

Y est plein de bonne volonté, Pierre. Faut pas le contrarier.

J'ai fait bouillir de l'eau, j'ai mis du citron, j'ai mis du sel, j'ai brassé. Pierre a pris une débarbouillette. Il l'a saucée dans l'eau chaude. Il a rajouté le Javex concentré. Une odeur de propreté qui commence à m'écœurer. Pierre prenait des airs de chirurgien diplômé.

Il faisait sombre. Terriblement sombre. De ce temps-ci mes ampoules brûlent une après l'autre. Y m'en reste juste trois dans le tiroir. Je les ménage. J'sais même pus si sont neuves.

Y faisait sombre de plus en plus, j'avais chaud, j'me sentais tiède, mouillé-collant comme du sang, collant et sale comme un bébé qui vient au monde ; j'me sentais comme dans un plat collant, comme dans un gros plat de sang.

— Penche ta tête pis tiens-toé !

C'était Pierre.

J'ai penché ma tête pis j'me sus tenu.

J'ai accoté ma tempe sur le dossier de ma chaise chromée, j'ai pogné la table à deux mains en disant : « Envouèye, mets-la ta débarbouillette, pas peur chus pas du Jell-o ! »

Ç'a chauffé. J'ai grogné. HURLÉ.

On a besoin des autres. Un clou, rien qu'un clou pis l'orgueil se décloue comme une vieille planche de clôture. Tout le monde passe par l'ouverture de ma chambre comme de l'eau par un trou de rat, y s'chamaillent presque pour entrer. *Non, c'est faux, c'est dans ma tête*. La femme de Jean-Paul fait le ménage, passe le balai. Pierre me triture le clou. J'dis « colisse » pis « crisse », pis l'collégien s'pince le nez.

On a besoin des autres.

Pierre est parti. J'ai mis d'autres compresses sur le clou.

Le collégien a suivi Pierre, la tête haute, la queue quèq'part, sûr de lui. L'eau bouillante ça pissait dans mon cou, dans mes sandales. Pis la poussière du prélart se diluait dans l'eau salée, dans le citron, dans l'eau qui tiédissait en touchant le prélart frais.

Ça me coule entre les lèvres, l'eau. J'ai craché sur mon réveil-matin, j'avais peur d'avaler des microbes. On a besoin des autres. Y vous torturent le cou ! Y y prennent plaisir ! Y ont besoin des clous des autres ! On a besoin des clous pour avoir besoin des autres. Les autres ont besoin... Tout le monde a besoin de ... Mais les microbes qui me coulent dans bouche, autant que possible je les crache. On garde toujours un peu d'orgueil. C'est toujours les petits qui finissent par manger les coups. C'est les petits qui finissent par payer. Qu'y pâtissent pour les autres pis qu'y s'fârment ! On devrait faire des discours pis crier : « Qu'les p'tits s'la fârment ! Sont là pour payer pour les gros ! »

Ouais. Gros comme chus ça m'coûterait cher. Les gros. Chefs, Duces, Führers, Conducatores, ça choque le monde quand on en parle parce qu'y savent ben qu'c'est vrai que y en a tout le temps partout qui guettent avec leurs gros culs pour nous monter s'a tête pis pour nous sauter à gorge comme des draculas ! Les innocents sont toujours coupables, fuck, y s'laissent manger, y s'défendent pas, cul rivé aux ghettos, plantés comme des carottes par les défenseurs de la Nââââtion !

L'eau pisse partout. La femme de Jean-Paul fait le ménagé. Une journée qui s'achève, qui va tomber toute nue dans l'automne qui fouine dans mon écœurement. Y est neuf heures et dix mais y fait encore clair... C'est-tu drôle, ça ?

— Ben non, l'cave !

C'est Pierre qui est revenu tout seul. Y m'entends-tu penser ? Y m'a dit ça, « ben non », pis après y m'a dit que j'étais barzangue. Y est neuf heures et dix du matin.

J'me sus dit tout bas : « Tu détraques. »

J'ai regardé Moc. *Les creeps !* A m'donne les creeps ! J'détraque. J'détraque, Pierre. Voudrais ben t'vouèr à ma place ! J'ai tué quelqu'un, pis Moc on dirait qu'à me le redit, ça arrête pas, pis toé tu sais rien, tu sais pas ! La p'tite crisse de Moc a l'sait pis a dit rien. Je l'sais : ça, ça vous gruge les nerfs. Qu'est-ce qu'a veut ? J'ai du pus de clou dans cervelle, on dirait. Plus rien de vrai. Y a plus rien d'important. Quand chus pas malade faut que j'dorme huit heures au moins pour me reposer. Là chus moitié mort, j'dors même pas trois heures pis je me retrouve reposé comme si j'en avais dormi quinze !... C'est comme ça, l'affaire !... Un clou, pis la notion du temps s'déren'che !... J'ai le cou clouté !... Pis la notion !... Pis ça me résonne jusque dans mon tympan, dans l'oreille gauche... J'ai peur que ma trompe d'Eustache se salisse pis se mette à me planter des clous dans l'oreille ! Pis dans cervelle ! Dans cervelle ! T'as pas pensé à ça la cervelle ? Ça pense à rien pis ça veut faire des études à l'Université pis diriger l'pays un jour ! Ça pense rien qu'à peser sur le clou pour voir si quoi ? Pour vouèr si l'peup' est faite comme toé ? ! Pour voir si y est là ? !... Ai pas peur, y est là !... Je l'sais !... Tu devrais fonder un Parti pour arracher les clous plantés de force dans nos crânes depuis des siècles. Mais fais attention ! Les maudits clous faut pas les tripoter n'importe comment !... Si ça coule dans trompe d'Eustache pis que ça se met à m'planter plus de clous encore dans l'crâne, han ? ! Des clous en dedans qui se mettraient à s'allumer comme des petites lampes de clubs, achalantes, ou comme des spots pleins de fumée comme sur la Main' !... Si ça perce l'os de la caboche, han ?... Comme à Bouboule, comme à Bouboule, maudit, ouach, colisse j'y pensais pus ! Si ça perce, si ça perce ça va faire des petits trous, des petits vitraux rouges, des jaunes ou des verts comme les vitraux de la coupole de l'Oratoire Saint-Joseph... Après ça on va venir visiter mon crâne à Saint-Jean de Dieu pis on va trouver ça drôle. On va faire des pèlerinages... Tous les Canadiens français ont la manie des pèlerinages... Vous allez dire, en parlant de moé, que y en a qui finissent ben mal, han ?... Pis là vous allez vous flicotter la quenouille, le cervelet, des petits bouts de matière grise, en vous faisant la morale. La morale, c'est du Jell'O. Oké pour le Jell'O, mais pas trop. Tout le monde, par che-nous, ont la manie de la morale. Les anticléricaux vont dire que chus un saint pour me faire chier, tout le monde ont la manie de la canonisation et de la malédiction. Y en a même qui vont dire que c'est un prodige, une tête à spots comme la mienne... Y vont dire que chus un miraculé de Saint-André... Avec ma grosse tête en tocape d'Oratoire... Bon, ben m'as vous dire, crisse : Saint-André c'est un vrai !... Un vrai saint !... Je l'changerais tout de suite contre toute la sainte maudite chicane politique. Ma tête. Y en a pas un maudit qui va penser à m'éteindre les spots dans tête pis à me laisser dormir. Y vont venir chercher mon argent pis mes livres, je l'dis. Y vont entrer chez moé par la fenêtre comme des vampires. Y vont voler mes trois dernières ampoules... Y vont me chercher pour me battre... Mais y vont voir que j'ai perdu la tête. C'est là qu'y vont taper encore plus fort, ça va les enrager d'avoir perdu ma tête. Y vont faire des ex-votos avec les poèmes de mes petits carnets écrits à l'envers pour faire rire le monde. Y vont publier ma photo-passeport avec WANTED dessus. Y voudront pus le dire que c'est ma tête qui est à Saint-Jean de Dieu. Y vont être jaloux. Y vont dire que j'ai caché ma tête n'importe où, juste pour faire parler de moé. Y vont vouloir me désigner. Ou y vont faire passer ma tête à spots pour une tête préfabriquée, y aiment pas l'originalité. L'originalité c'est un petit miracle pis y croyent pas aux miracles, toute une gagne d'anticléricaux... Ma tête à clou, c't'a moé pis ch'ferai ben c'que j'veux avec !

On a besoin des autres. Maudit trou d'cul !

La Ligne Dew, ça c'est Jean-Paul, le mari de sa femme, qui me dit ça que la Ligne Dew c'est plein de missiles qui vont partir si les Chinois ou ben don' les Russes...

Y a d'l'instruction, Jean-Paul. Y va faire sa psychologie à Montréal dans un an. Les Américains, mon vieux, si y font une guerre, ça sera pas drôle...

Pis les Russes ? ! Y font-tu des guerres drôles ! ?

— Haaââââ ! ! C'est bouillant, tabarnac !

Ça c'est Pierre !

— T'aurais pu me l'dire avant de m'étamper ton tapon d'eau bouillante dans l'cou !

Citron dans l'eau bouillante, sel dans l'eau bouillante, ch'connais toute l'affaire, brasse *déding dang* avec la cuiller dans le petit bol de vitre jaunâtre. Débarbouillette en tapon fumante d'eau chaude. Sueurs dans le cou. Ça me coule dans le dos. Les Américains. Les Russes. Les CF. Les champignons. Petit patapon. L'insécurité. La peur. Il est une bergèèère rond rond rond, petit patapon ! La peur de disparaître, la peur de mourir, la peur d'être flushé, on dirait qu'on nous a fabriqué avec d'la chienne pis d'la peur. Ronron petit patapon. TU VAS DISPARAÎTRE ! HAAA ! HAAAA ! TU VAS DISPARAÎTRE ! HAAA ! HAAAA ! La débarbouillette. L'univers. Mon clou. On a besoin des autres. DES *AUTRES* ! SANS ÇA. SANS ÇA.

Crrr ! Crrr ! Pierre pousse sur le clou, presse le clou entre ses deux pouces, y faut qu'ça sorte, le pus, y faut qu'ça sorte ! J'sens ça craquer dans mon cou comme quand on écrase une sauterelle. Ça sort. Ça sort de peine pis d'misère mais ça sort. Ça sort par petites gouttes, puf !

Ti-Pierre a reçu un calvasse de petit missile de pus dans le coin de l'œil gauche.

— Crisse ! On voit rien ! On l'voit pas ton maudit clou !

— Moé non plus je le vois pas mon maudit clou ! Mais la différence c'est que moé ch'prends pas plaisir à torturer le clou des autres avec des airs de chirurgien diplômé !

— On voit mal...

— Tout l'monde voit mal.

— Oké.

— Oké.

Moc. Je l'ai en face de moi. Est venue s'asseoir en face de moi.

J'baisse les yeux.

— C'est à cause des cheveux qu'on le voit pas ton maudit clou, dit Pierre. C'est à cause que t'as les cheveux trop longs, Pit. Attends un peu...

Je relève la tête.

— Non ! Pas avec mes ciseaux ! Y sont rouillés, torrieux, y coupent pas !

— Ça fait rien...

— Quoi... ?

— On va essayer pareil...

— Maudit cave !

— Faut ben qu'on fasse quèq'chose !...

— Oui mais pas n'importe comment, fais pas l'cave... !

J'ai repenché la tête. J'arrive pas à résister. J'ai tué Bouboule. C'est comme si j'm'étais tué. Moc arrête pas de me regarder avec ses petits yeux pointus pleins de mystère. Shit : on dirait qu'a rit !

Pierre a pris les ciseaux. Il les a plongés dans l'eau bouillante.

— Penses-tu qu'ça va marcher, qu'y dit.

— Tu vas ben ouèr, que j'dis... Fais attention aux bouts de cheveux, qu'y tombent pas dans l'clou !

— Oui oui, j'ai mis un Kleenex dans l'trou du clou...

— J'dois être beau, joual vert !

Moc s'est levée, elle est derrière moi, je sens ses doigts, c'est elle qui tient le kleenex. On a besoin des autres. On dirait que je la sens penser dans ses doigts. On dirait que je devine tout ce qu'elle est, tout ce qu'elle pense, c'est comme si elle pensait, c'est comme si ses doigts se rappelaient avoir touché Bouboule avant, comme si ses doigts, ou elle, se rappelaient Bouboule. A connait Bouboule, je le sais. Je pense : « Pars pas, Jean-Paul, attends, après on va jaser... »

— Non, faut que j'parte...

Il a répondu comme s'il m'entendait penser. Ou j'ai peut-être parlé à voix haute pis je l'sais pas, j'deviens barzagne.

— Pis l'clou ! ?...

Pierre me répond pas. Il dit à Moc : « Viens-tu Monique ? »

Y a connait même pas. C'est la première fois qu'y la voit.

Moc fait signe que « non » avec sa petite tête de Joconde ou de sorcière.

— Faut que j'parte, me dit Pierre. J'travaille demain. Salut...

— Pis l'clou ? j'demande.

— Y est pas pétable, dit Pierre.

Pierre est parti. Moc est restée.

J'me sus rarement senti autant tout seul avec une femme comme j'me sens aujourd'hui avec elle.

Est allée s'asseoir dans un coin. J'me nettoye le cou. On a besoin des autres. J'ai besoin d'parler, tabouère, j'ai besoin de parler, rien que ça, mais j'ose pas, Moc me bloque. La petite moseusse m'impressionne, a m'impressionne. On a besoin des autres. Ça vous lâche pas tant que y a un clou ou des lignes de missiles comme la ligne Dew qui font des espèces de clôtures de piquets nucléaires au Pôle ou ailleurs, des clôtures comme des fanons de baleines, des murs de graines de champignons atomiques, des murs de gros cure-dents géants, des murs de gigantesques éruptions cutannées dont on sait pas si faut les faire partir ou si faut les démanteler ; de l'incompétence, de la chienne au cul, des centrales nucléaires qui guettent, de la misère, du TU VAS DISPARAÎTRE ! HAAA ! HAAAA ! TU VAS DISPARAÎTRE !

À force de se le faire dire on va finir par le faire pour de bon.

37

Le monde est tout décolissé.

On perd pas son temps, c'est le temps qui nous perd.

Maintenant, quand ils revenaient chez moi, je m'étendais où c'était possible de m'étendre et je les écoutais. Mon clou était toujours là, y pétait pas. Je retrouvais quand même un peu d'appétit. Jean-Paul m'apportait du pain. Blanc. Moi, c'est le brun mélasse que je mange d'habitude. Je mangeais le blanc quand même.

J'aurais bien aimé lui dire à Jean-Paul que le mangeais par amitié, son pain. Mais je le mangeais parce que j'avais faim. Ils parlaient. Ils parlaient de tout. J'avais toujours mon clou. Je les écoutais. J'écoutais mal. Mais du monde, comme ça, qui vient chez moi pour placotter, ça me redonne de l'appétit. Un peu. C'est la nounounerie humaine qui me fait perdre l'appétit, pas des tchommes qui viennent placotter.

La femme de Jean-Paul, Suzanne, a lu dans les lignes de ma main. Qu'est-ce qu'a disait, donc ? M'en rappelle pas bien. Je sais qu'elle pense que tout est dans les lignes de la main, mon destin, ma vie, ma chiennerie, Philomène, mes clous, ma marde. Je suis sûr qu'elle a mal lu, j'ai les mains ben qu'trop sales. Pis alle a pas vu pour

Bouboule. A m'a juste dit : « T'sais, c'que t'as, y a pas d'quoi tuer quelqu'un. » Y a peut-être rien de vrai dans tout ça. C'est pour ça que je veux pas me rappeler qu'elle m'a dit que j'aurais jamais de réussite financière comme qu'a dit. J'y ai jamais pensé, ça doit être pour ça. Elle a parlé de femmes, de femmes à propos de moi dans mon destin. Ça non plus je veux pas m'en rappeler. Elle m'a dit que j'avais fait du mal à mon meilleur ami. Ça non plus j'ai pas compris. Je lui ai demandé qui ? Elle a haussé les épaules et elle a rien dit. Ça m'avance ! C'te monde-là, c'est peut-être que c'est superstitieux, y finissent par vous jeter un mauvais sort sans l'vouloir pis y s'trouvent à vous fourrer mais y s'en apeçoivent pas. Y en a d'autres qui l'font exprès pour vous fourrer, ceux-là c'est pas de leur faute, je le sais, c'est parce que ça fait plus longtemps que moi qu'y savent que la vie c'est une cochonnerie. C'est dur de leur reprocher. Dès que j'ai un peu d'argent, j'm'achète *Le Prince* de Machiavel. Pour voir comment y font pour tenir le monde, parait que y ont des trucs, ça pourrait peut-être servir. Pis je vais me mettre au karaté aussi, on sait jamais. Faut faire des projets. Pis s'défendre.

J'étais en train d'écrire ce qui précède. Suzanne, la femme de Jean-Paul, s'est levée pour partir, je m'en suis même pas aperçu. Quand elle a ouvert la porte, j'ai entendu, je me suis retourné. Je lui ai dit : « C'est drôle, toé tu fais pas beaucoup de bruit. » Elle m'a dit : « Non, ça sert à rien. » Pas fou. C'est du vrai silence en peau c'te fille-là.

*

La vie nous harcèle.

Moc se dôpe pis a sort des fois : je le sais, a se fend son petit cul pis sa petite bouche de Joconde pour du fric.

En tout cas alle a toujours de quoi payer la chambre pis à manger. Moé j'fume des rouleuses, pas de la dôpe. Moc a boit aussi. A m'a dit : « J'sors avec des hommes galants. » J'ai demandé : « C'est parce que moé chus pas galant ? » A m'a dit : « C'est parce que toé t'as pas une cenne. Pis parsque y a quèq'chose... » J'ai dit : « Quèq'chose... ? » A m'a dit : « Quèq'chose que t'as pas compris. T'as pas compris, c'est toute... » Pis a m'a regardé avec un drôle de petit regard plus pointu que d'habitude avec comme des ondulations de serpents dedans qui grouillaient pis des sortes de petites étincelles pointues comme des p'tits diamants tout p'tits. J'ai pensé : « Une sorcière ! » J'ai pensé : « Qu'est-ce ça peut faire, une sorcière ? »

J'sais pas.

Chus pas spécialiste dans les sorcières.

38

Je fume des cigarettes. Pas d'hasch. Chus pas fou.

La nounounerie humaine m'a fait perdre mon appétit d'avant. J'dors pus. Mais j'ai soif, j'ai recommencé à avoir soif.

Ça fait que pour la première fois j'ai demandé de l'argent à Moc pis chus allé caler une trentaine de draffes.

Moc m'avait donné cinq piasses mais quand chus arrivé à taverne y m'en restait juste une, j'avais dû perdre les autres. Me sus payé dix draffes stréte. Pis j'ai parlé de révolution avec trois vieux, ça s'parle gros c'temps-ci. Les trois vieux m'ont trouvé ben drôle pis y m'en ont payé une vingtaine. Là-dessus j'en ai renversé deux à terre mais j'ai bu le reste en faisant attention.

Pis quand chus sorti j'avais un mal de mer écœurant, les murs tanguaient, ça vaguait fort.

C'est Jean-Paul qui m'a accroché sur Saint-Denis en face de Cherrier.

Y m'a dit : « Maudit cave, tu traversais la rue Saint-Denis les yeux fermés. »

J'me sus entendu dire quelque chose comme de quoi des rues on en traversait tous les jours pis qu'on finit par les traverser les yeux fermés. Pis j'y ai dit : « Qu'est-ce est qu'a fait, Moc ? » J'ai pas entendu ce que Jean-Paul disait, pis j'y ai encore dit que l'air de Montréal on aurait dit que c'était devenu comme un gaz noir. Y m'a dit : « Non, c'est l'soir. » J'me sus enragé, j'y ai dit : « Le soir c'est noir dans l'air, tabouère, pis l'air c'est du gaz. Ça veut dire que la nuit c'est du gaz aussi mais noir, viens pas m'obstiner ! C'que j'veux dire c'est qu'on dirait que le soir ça me drogue comme du gaz ! »

Y a hésité une minute comme si y comprenait pas vraiment, y semblait un peu ébranlé, les idées nouvelles ça fait toujours ça, pis y m'a encore dit de faire attention de pas traverser les rues les yeux fermés. Y a hésité pis y a dit : « Surtout quand y a du gaz noir. » J'y ai dit que traverser les rues y avait pas de quoi écrire une tragédie. Pis j'y ai dit : « Mords-toé l'front », en pensant que ça le tiendrait occupé.

Après chus allé dormir.

Je pourrais pas tout vous raconter ce qui s'est passé dans mon rêve. C'était dans mon rêve pis dans ma chambre. J'veux dire que c'était peut-être pas un rêve. Y en avait au moins vingt dans ma chambre, y venaient passer à tour de rôle au chevet de ma carcasse étendue sur le divan-lit. Suzanne, la femme de Jean-Paul, était revenue. J'y prenais les mains pis j'y disais que je voulais lui passer les menottes. Je me souviens qu'a s'tordait sur sa chaise chaque fois que je parlais. Yves est venu aussi. Y savait pas quoi faire, y trouvait rien à dire, y avait peut-être peur de moé, c'est possible, j'étais un peu comme si j'agonisais, j'avais l'air de ça. De toutes façons j'étais tellement paffe que je me sentais même pas encombrant.

J'ai rêvé comme ça un peu.

À un moment donné j'ai rêvé que je mangeais des œufs pourris. Tout était sec dans mes rêves. Moc pis *Philomène,* elle je l'avais pas vue depuis un bout de

temps, elles venaient m'embrasser après avoir fait le tour
des hommes qui étaient là, leurs gueules pleines de rouge
à lèvre. Philomène m'a toujours fait penser à Woody
Woodpecker, elle a un petit quelque chose d'oiseau pointu.
Faudrait pas que j'y dise parce que je pense qu'elle a
l'angoisse métaphysique facile pis on sait jamais, avec
Moc autour, a pourrait peut-être se changer en oiseau
d'*cartoon* pour de vrai. Jean-Paul, lui, y est pas resté.
Suzanne est restée. Y est toujours découragé, Jean-Paul,
c'est effrayant comme y a le taquet bas, on dirait que les
études y font pas, j'sais pas. On s'est paqueté l'beigne
ensemble à un moment donné, on calait comme des tuyaux
de mille pieds branchés en dessous sur l'Océan Indien, on
avait pas de fond. Ç'a l'air qu'y peut pus travailler nulle
part depuis qu'y a lancé un cocktail molotov sur une
caserne, les étudiants font ça. Y l'ont relâché mais rien
qu'pour le niaiser pis le faire chier. Chaque fois qu'y se
trouve une djobbe pour payer ses études y a quelqu'un qui
s'arrange pour le faire slacker. J'ai pensé : « Faudrait aller
voir les boss, leur dire que Jean-Paul y est ben correct, que
l'cocktail molotov y a faite ça pour que l'élite canadienne-française soye contente, c'est toute. » Pis après
j'ai dit à Moc : « Fais donc quèq'chose pour lui, maudite
sorcière. Tu voés pas qu'y s'fait fourrer pis que son élite
canadienne-française s'en sacre ! » Pis là, tout de suite, le
visage de Jean-Paul a changé complètement. J'ai trouvé
ça fort. Une *vraie sorcière*. Si a peut y changer la face à
Jean-Paul, a peut y changer son nom aussi, comme ça y se
fera pus slacker pis y va continuer à étudier pis y ira pus
gaspiller des bouteilles sur les murs pour faire plaisir à du
monde pis faire peur à d'autres. Goliath se crisse ben de
tes orteils, David.

Mais Moc, est forte.

C'était comme un vrai salon mortuaire, ma chambre. Ou comme une salle d'opération de chirurgie plastique. J'ai pensé : « Y manque rien qu'les cierges pis l'éther. » Pis c'est là que je l'ai vue se pencher sur moé, Moc : a s'est mis à me regarder le crâne comme si a lisait dedans, comme si a lisait dans une boule de cristal. Pis les cierges, je les ai vus, Moc en avait apporté deux, des gros pis des maudits beaux. Un rouge pis un blanc achetés sur Rachel près du parc Lafontaine. Quand a les tenait, a'n'avait plein la main. Alle a mis un restant de cirage noir sur le rouge pis après alle a mis du rouge à ongles sur le blanc. Pis a craché dans le cendrier plein d'rouleuses pis de cendres, alle a faite une petite slotch qu'alle a mis sur le cierge blanc rougi. A me regardait avec ses petits yeux pointus pis j'voyais dedans. C'était comme si on pouvait entrer dedans par un petit point au milieu pis qu'en dedans c'était une grande couverture de peau qui s'étendait à en pus finir. J'y ai demandé : « Qu'est-ce est ça ? » A m'a dit : « C'est d'ça qu'on s'sert pour faire le monde. » Shit ! J'ai pensé : « Moc, c'est Dieu. » Moc a pas dit « non », c'est peut-être parce qu'a m'entend pas penser mais ça me surprendrait, une sorcière. Pis ça m'a fait drôle : d'in coup, Moc, c'est Dieu ? D'in coup, Moc, c'est la femme du Frère André ?

Moc a allumé les cierges.

Alle avait la bouche rouge flambante, comme un char rouge flambant neuf. Elle m'a dit : « J'mange les hommes. » Pis a partie à rire. Pas moi, j'ai juste ouvert la bouche, surpris. J'y ait dit : « C'est ça, communie ! » Elle a fait un petit sourire comme un couteau. Pis après a s'est mis à murmurer comme si a priait. A vend son petit cul pis a prie. Des fois j'me demande si c'est pas elle *qui m'a poussé à tuer Bouboule,* une vraie maniaque. Pis une sorcière. C'est dans le parc qu'a s'est approchée de moi, c'est arrivé quand j'étais dans le parc l'autre matin. La nuit j'avais écrapouti la tête à Bouboule pis après ça j'étais allé chez Louise pis après j'avais marché toute la nuit. J'avais pus une cenne pis j'voulais fumer. A m'a donné une cigarette. A m'avait suivi, c'est sûr, ètait pas là par hasard. Pis après a m'a suivi jusque dans la chambre ici. J'avais pus de tabac, pus une cenne. A m'en a acheté. Alle a payé deux semaines de chambre. Je savais pas qu'est-ce qu'a voulait, j'étais abattu.

Là, dans chambre, on dirait qu'a vient d'un autre monde avec ses deux gros cierges qu'a tient dans chaque main comme des pénis allumés. J'me sens comme si j'avais le sang de Bouboule partout sur moé. Dans gorge. Dans le cou. J'ai le goût de me tuer. J'ai tué, c'est peut-être pour ça. Les cierges, c'est peut-être pour ça aussi : Moc attend peut-être que je me tue. Étendu sur le tchesteurfïlde. Faut-tu être poseur, han ? Mais mon suicide, c'est pas pour demain. Pas si simple que ça, se suicider. D'abord, si je me trouve une djobbe, j'aurai pas le temps d'y penser. Pis pour l'instant, même si je voulais me tirer, j'ai pas assez d'argent pour m'acheter un bing-bang. Me jeter devant un char ? Je risque de me faire éviter ou de me faire seulement blesser. Ça va faire mal pis j'serai pas mort. Le pont Jacques-Cartier ? Chus trop fatigué, c'est l'automne, y fait frette. J'ai pas envie de me rendre jusqu'au pont. Pis ch'sais nager. À dernière minute, l'envie pourrait me prendre de revenir à la surface. Tout ce que j'attraperais, ça serait une pleurésie. Ça serait trop cave de mourir d'une pleurésie — c'est une maladie qui se soigne, la pleurésie. Le gaz me donne des nausées, j'aime pas ça. Pis si je me tuais, je pourrais pas écrire pis j'aime ça écrire. J'ai des petits bouts de notes dans des carnets, j'en ai jamais parlé mais c'est là, quelqu'un pourrait faire un livre avec ça, un jour, on sait jamais. Je deviendrais riche. Pis j'peux pas partir comme ça sans dire salut à mes tchommes. Y en a là-dedans qui me doivent des livres, des pocket books. Pis moé je leur dois du pain.

Pour le moment, pas de suicide. Ça serait péché.

J'étais toujours étendu sur mon lit dans ma chambre et je savais plus si je rêvais ou si c'était vrai ce que je voyais.

Moc était toujours là à me regarder en tenant ses deux gros cierges, un dans chaque main. Je voyais les têtes autour, grosses, me regarder. Des têtes que je connaissais, d'autres que je connaissais pas. J'avais envie de me mettre à écrire une couple de lignes dans un de mes carnets mais je pouvais pas bouger. Y a un cave qui m'a dit que la jeunesse était désabusée. C'est effrayant comme c'est pas vrai. Alle a jamais autant eu envie d'être heureuse la jeunesse. C'est rien que ça qu'a cherche mais le monde est cochon avec la jeunesse. On dirait que chaque fois que du monde veut être bon, y en a d'assez trous-de-culs pour les caler pis pour les phoquer. Elle arrive pas à se faire à ça, la jeunesse.

Pis à part ça, la jeunesse, ça existe pas : c'est comme l'eau du fleuve, c'est jamais la même eau. Quand on dit « le fleuve », on sait pas ce qu'on dit, c'est abstrait. La jeunesse, c'est pareil. Tout le monde grandit, prend de l'âge. Y a des jeunes mais y a rien qui reste jeunesse, ça change tout le temps, ça bouge. Y a des jeunes. Des plus jeunes pis des moins jeunes. Les moins jeunes étaient des jeunes y a pas longtemps. Ça bouge, le temps ; le temps c'est pris dans la peau, dans les choses, ça fait onduler la peau, ça fait changer la peau. Y a des jeunes. Mais qui vont vieillir vite. Les jeunes c'est pas des bines. On peut pas dire « la jeunesse » comme on dit « un plat de bines ».

C'est vrai que mes tchommes y ont mon âge. Y ont à peu près dix-neuf, vingt ans. Y sont cyniques par bouts, oui, pis après ? Moé, ça me dérange pas. Un cynique, ça me met en confiance (j'dis ça mais en tout cas). C'est un gars qui s'en fait pus accroire. On peut pas y passer un Québec. Moé, j'veux pas qu'on me passe un Québec, français, anglais ou muet.

Moc me regarde.
Moc me regarde tout le temps.
A me regarde. Son visage bouge pas. Son visage bouge pas mais c'est comme si son visage me disait que j'dis des grosses niaiseries. Pas doué pour la philosophie. J'devrais me contenter de conter mes contes. Comme dans les petits carnets qu'j'ai.

On se défend comme on peut.
On a rien. C'est pour ça qu'on fesse. C'est pour ça qu'on détruit un petit peu. Sans ça, c'est les autres qui vont nous détruire. Avant qu'y nous fassent disparaître, faut les faire disparaître. PARCE QUE C'EST PLEIN D'MONDE QUI ARRÊTENT PAS DE L'DIRE : HAAAAA ! TU VAS DISPARAÎTRE ! HAAAA ! TU VAS DISPARAÎTRE ! HAAAA ! HAAAAAA ! TU VAS DISPARAÎTRE TI-CRISSE ! Pis là ou ben don on gèle sur place ou ben don on tue toute ce qui pourrait nous faire disparaître pis nous autres aussi avec parce que ce qui fait disparaître c'est la mort pis nos corps aussi, si y meurent, y vont nous faire disparaître, les crisses. Ça veut dire qu'y faut tuer nos maudits corps avant qu'y disparaissent. La jungle. *Disparaître, disparaître* : vont finir par me faire peur, les torrieux !
Moé, ce que je veux, c'est mon bonheur. Je pense que c'est pas le diable possible mais ça empêche pas que c'est rien que ça que je cherche. On le trouve pas, c'est

sûr, c'est parce que y existe pas, c'est comme « la jeunesse », le bonheur, ça bouge, ça change pis en même temps ça reste là, c'est nous-autres qui bougent. Ça fait qu'on a juste à rester là. Pis là, ben c'est là. C'est le bonheur, ça, là. Lalala. La thèse de l'absurde, c'est pas moé qui l'a écrite, ni Heidegger, ni Camus, ni saint André : c'est l'instinct de conservation pis la peur de disparaître.

C'est vrai que t'as beau vouloir celui des autres, leur bonheur, c'est toujours le tien que tu veux leur imposer. On se prend pour Dieu : « QUE TOUT L'MONDE SOYE PAREIL COMME MOÉ PIS GROUILLEZ-VOUS PAR LÀ, L'PEUPLE ! » Mais le peuple, si y veulent pas, y ont ben le droit. J'ai pas envie de me morfondre là-dessus. C'est chacun son petit morceau de mort. Ton petit morceau de mort qui est même pas à toé, c'est la vie pis le monde qui te l'fourrent dans gueule.

Moc me regarde toujours avec ses deux cierges.

On dirait qu'a dit : « Y a des vis lousses dans ta philosophie. »

Peut-être mais j'aime mieux une philosophie avec des vis lousses : ça laisse passer d'l'air.

Derrière, les autres, y me regardent de près. Leurs faces ont l'air chaudes. Leurs faces. C'est à cause des cierges. Y a une chaleur écœurante qui sort des flammes des cierges. C'est pas des cierges ordinaires.

Pis d'un coup j'me suis levé du lit. Ç'a tout l'air que j'étais pas mort.

39

Moc était là, dans le coin, entre ses deux cierges. A lisait. Les cierges éclairaient abondamment. On aurait dit que c'était plein de monde, j'avais la sensation d'un plein de monde dans la chambre mais je voyais juste Moc. Moc lisait un petit livre noir. J'me sus approché.

J'ai eu envie d'y enlever, a lisait dans mon carnet. Je savais c'qu'a lisait. Je le savais par cœur : « Quand je vois que y a plus rien à faire, je reviens à la ligne pis je m'allume une cigarette. »

J'avais écrit ça.

Pis ça continuait : « Je voudrais rien attendre mais tout vient.

« Les coups de cochon, les joies.

« On se fait prendre au jeu. On se met à attendre quelque chose. Qui vient pas. Tout peut arriver. Mais rien arrive de ce qu'on attendait. On est sur la défensive. On devient un peu cynique, on devient un peu méchant. On devient dangereux. Presque autant que la vie mais on gagne pas : c'est elle qui gagne, la vie, tout le temps. On peut pas être aussi dangereux que la vie, on est noyé dans vie.

« J'ai voulu être méchant.

« J'ai écrabouillé Bouboule.

« J'aurais pus faire la même chose à Philomène. À Berthe. Être fou, pousser ça jusqu'au bout.

« Mais c'est pas facile d'être bestial et méchant tout le temps. C'est fatigant. Pis y en a trop qui le font. C'est plate. Être le plus dur des durs. Essayez, vous verrez : si c'est pas toé pour de vrai d'être dur, c'est pas compliqué, ça marche pas.

« La vie, c'est une cochonnerie.

« — Voyons coco, t'as vingt ans, t'es jeune.

« J'ai essayé. J'ai essayé d'être doux mais je me sentais comme si ma peau pouvait se faire trancher par le moindre mot. J'ai essayé. J'en ai craqué de la tête aux pieds, de la tête au cœur. Je voudrais ben pas chiâler mais y a des fois qu'on a trop envie de le faire pour pouvoir se retenir. On se défend comme on peut. Faut pas juger. Faut fesser, faut se cacher, faut aller se jeter en bas du pont Jacques-Cartier, faut ch'sais pas. Non. Faut HURLER ! HURLER ! Ça nous tient en vie ! Si seulement on a les cordes vocales pour. N'importe quoi. Lire Trotsky. Ça donne des envies, à lire ce gars-là, de refaire le monde sans t'arrêter, avec un fusil, jusqu'à temps que t'en rencontres un qui vise mieux que toé.

« Un coup mort, tu t'en sacres.

« Pis y est pas question de juger quelqu'un. Faut jusse fesser à bonne place. Y des misères humaines qui tuent comme la nounounerie humaine. La nounounerie humaine, t'sais : gnagnan, coucou, toto, fais pas bobo, PARLE PAS ANGLAIS TU VAS DISPARAÎTRE ! gnagnan, coucou, toto, bobo, DIS RIEN TI-CRISSE SANS ÇA TU VAS DISPARAÎTRE, MOMAN T'AIME TABARNAC ! gnagnan, coucou, toto, fais pas bobo, la nounounerie humaine, t'sais ? PLUS T'AS PEUR, PLUS T'ES PLUS TOÉ, PLUS TU M'APPARTIENS COLISSE ! BEN FUCK YOU SACRAMENT ! ON EST PAS DU BÉTAIL !

« Pauvre cave d'idéaliste qu'on est, des fois ! Le monde, y veut pas changer, le chien ! Le militant y voulait que j'milite. Mais le monde y veut pas changer, y veut pas être comme le livre. Y veut pas être comme Lénine y dit d'être, y veut pas être comme Hitler y dit, y veut jamais jamais être comme que les discours y disent que le monde y faut qu'y soye, y veut jusse être comme qu'y est pis faire c'qu'y veut. Le monde est cave, le monde y veulent pas toutes être pareils. Ça écœure ! C'est toé qui change. C'est écœurant ! Le monde, y t'assomme. Plains-toé donc pendant qu'tu y es ! Tu peux toujours jouer ta comédie pour te tailler à coups d'épingles ou à coups de hache une place au soleil, ça va dépendre : si t'es sournois, ça sera l'épingle pis si t'es solide ça sera la hache. Fuck ! J'VEUX PAS ÊTRE COMME QUE LES ÉLEVEURS DE BÉTAILS VEULENT QUE CH'SOYES !

« Mais moé, j'te dis, fais pas ton toffe, tu gagneras pas, tu vas te fatiguer, c'est toute. Essaye de vivre tous tes battements de cœur, ça dure pas, profites-en. T'es rien. T'es rien pis tout est ambigu. Peut-être que tout est trop clair. En tout cas viens pas me demander de conseils, chus ton pire ennemi. Comme tout le monde. Toute la vie tu vas te battre, on va te frapper, venge-toé, ça sert a rien les bons souvenirs. À rien. C'qu'faut de s'rappeler des coups de cochon qu'on nous a faites pour pus qu'on nous refasse les mêmes.

40

J'ai laissé Moc lire mon carnet. J'avais écrit un paquet d'affaires là-dedans, n'importe comment. J'disais des affaires tellement violentes que j'en avais des sueurs dans le cou, des picotements. HURLER. Comme un loup-garou. HURLER.

Chus sorti sans la déranger.

J'ai marché un bout au hasard.

Je me sentais étrange, un peu tangué. J'savais pas trop si j'allais rentrer ou pas. J'ai marché. J'ai marché. Toute la nuit. Pis en revenant au petit matin je l'ai vu s'approcher. Un robineux. Y traînait de la savate. J'pensais à Moc, j'sais pas pourquoi, j'pensais tout d'un coup à Moc. Je pensais, je marchais, le robineux marchait vers moi en tanguant, y se rapprochait, se rapprochait pis à un moment donné y était sur moi, la main tendue. Y était sur moi, presque collé. On bougeait pus, on avançait pus ni un ni l'autre. J'savais pas quoi lui dire. J'savais pas. Y a parlé.

— M'sieu, ça serâ pas trop vous demander ?...

(Y souffle. Avant de reprendre la parole y va puiser une laborieuse chaudiérée de souffle quelque part, par en dedans.)

— ...Pour l'amour de bonyeu... (y souffle) dix cennes... yen qu'ça...

(Y souffle. Ses poumons sont noyés comme un carburateur de bazou poussif. Ça fait presque glou-glou quand y s'arrête pour reprendre son respir.)

— ... Dix cennes, pour l'amour du ... bonyeu...

(La couleur du ciel : du trente-sous fondu avec de l'encre pâle dedans. Je peux à peine lui donner dix cennes. Dix cennes à donner sous un ciel de laine mouillée, couleur de trente-sous fondu, figé dans l'aube. La vie, mon gros tas, c'est pas à rabais. Big séle, big djoke).

— ... Dix cennes... pour l'amour (y souffle) ... du saint bonyeu.

(Y se passe ses mains calleuses, lourdes comme du bois franc, des mains d'argile craquelée, y se passe les mains sur ses deux bajoues de carton sablé, séché après l'averse, ses joues de carton-cactus, épineuses, barbues, sales, striées de filaments rouges et violets comme des filons de minerai, usées, ses joues en dessous de ses yeux bruns, sales, terrestres.)

— ... Yen qu'ça... dix cennes... moé chus pauvre...

(Y souffle. Y va se dessouffler si y continue à parler. Y a pus de vent dans ses bons six pieds de graisse usée. Son ventre ! J'en ai mal au mien rien qu'à le regarder comme on a mal au ventre quand on pense à une opération chirurgicale et qu'on s'identifie au patient, à l'opéré, quand mon ventre s'ouvre et saigne rien qu'à penser au ventre qui s'ouvre palpitant comme un gros bébé en larmes. Ventre de beurre. On finit tous par passer dans le beurre. Ça dépasse par dessus la ceinture de carton fendillé à moitié cachée par un ourlet de pantalon et un bourrelet de peau. C'est dans cette levure de peau, quelque part entre la ceinture et la bouche, qu'il va chercher du vent avant d'émettre un son, une plainte, un besoin.)

— ... Moé (y souffle) ... J'veux pas vous insulter pis vous déranger... j'veux... j'veux avouèr dix cennes... J'veux... Moé...

(Y souffle, y dessouffle, y souffle, y dessouffle. Les joues mordues par le vice à sa misère. C'est tout mou partout. Y me dépasse d'un bon deux pieds. Pis y a honte, c'est effrayant. Y a peur. Un grand gars défait. Une dégénérescence bipède. Y est fini. C'est mou partout. On dirait qu'y va tomber en panne d'air. Six pieds d'asthme, six pieds, six pieds de puanteur. Y est pas vieux pourtant. Pas vieux. Mais y est usé comme un vieux bazou déchromé, neyé, rouillé.)

— Moé... Moé... chus mouètié homme... mouètié femme (je comprends pas)... Mouètié... mouètié homme... mouètié... mouètié femme *(je comprends pas)*... Yen qu'dix cennes... parsque... ch'peux pas travailler, moé... Voés-tu ?... Chus pas normal, moé, r'garde...

(Y souffle. Y est pas normal qu'y dit. Moitié homme, moitié femme... Hermaphrodite ?... Ou bien y délire. Comment savoir ? Y ressouffle son engin à vapeur, son moteur à nicotine, sa baratte à bière. Y se passe lourde-ment les mains par en dessous de son ventre, lentement, ses grosses mains. Comme si y avait quelque chose de précieux dans ses grosses mains, lentement. Y se les passe en dessous de la bedaine comme des patènes. Ça fait comme des assiettes vides, ses mains, lentement, y se les passe par en dessous de la bedaine. Là y se tâte la fourche. Ça doit être la pelotte, les gosses, un nid de morpions. « Mouètié homme... mouètié femme... » Y répète, y répète ça. Y souffle. Y se tâte la bedaine, y se la caresse avec des mains qu'on dirait blessées, douloureuses, des mains gourdes, pâlottes, les rhumatismes... Y se tâte le ventre comme si y était enceint... J'ai envie de rire. Ça tient pas deboutte, son affaire... Mais y est trop pitoyable. Si je riais, c'est pas pour m'excuser que je dis ça, mais si je riais, je rirais nerveux. Y fait pitié. Pitié. Y dit « mouètié homme en se tâtant la pelotte. .. Pis « mouètié femme » en

159

se tâtant sa grosse bedaine qui bombe en dessous de son chandail sale pis trop petit.)

— Chus par normal, moé (y souffle)... Chus... Ch'peux pas travailler... C'est pour... pour ça que j'veux (y souffle)... dix cennes... Yen qu'ça... Si c'est pas trop (y souffle)... vous demander (y dessouffle, y grelotte, y fait glou-glou dans son gros cou).

J'ai hésité avant d'y donner dix cennes. J'avais une piasse et dix cennes dans ma poche. Même si y a Moc, quand t'es chômeur t'es séraphin. Tu grattes. Tes cennes, ta barbe pis tes cheveux longs. Mais j'y ai donné quand même. J'avais peur, j'pensais qu'y timberais d'un coup devant moi, ouachchch, comme une bouse. Ça me faisait peur : y aurait fondu devant moi, y aurait roulé comme de la grosse pâte à tarte sale sur le trottoir, sous le ciel d'automne... Trente-sous fondu avec de l'encre dedans pis figé dans ma gorge asséchée par la laine du ciel de laine... Comme des toiles d'araignées empilées, empilées dans ma gorge écœurée, empilées, empilées jusqu'au ciel. Le robineux, y m'aurait peut-être saisi mes jambes dans ses grosses mains mourantes en tombant, ses grosses mains sales, collantes comme du papier à mouches. Y m'aurait traîné avec lui dans sa marde en me marquant pour toujours du sceau de la Crasse. Je veux pas. Y me reste des petites chances de bonheur. Dans le fond, y en reste toujours.

D'y ai donné dix cennes.

D'y ai donné mais qu'y r'vienne jamâ ! Jamâ ! Qu'y revienne pas ! Que j'le revouèye pus jamâ ! *jamâ !*

Mais y m'a pris mes mains dans ses mains avant de partir pis je l'ai laissé faire.

On se ressemble, je le sais.

C'est une question de temps. On pourrit, c'est écrit, c'est pas long. Y me tenait les deux mains pis moé je me demandais pourquoi qu'on s'démène de même de tous bords tous côtés, qu'on arrive pus à dormir la nuitte, qu'on attend d'être cassé en deux avant de s'étendre sur le sofa pour dormir, pourquoi qu'on tue, pourquoi qu'on vit de même, pourquoi qu'on quête l'assurance-chômage pis l'béesse, la queue pendante, la honte au boutte, réponds tabarnac, réponds Ti-Jean ! Réponds, mal rasé ! maudit naïf ! maudit nono ! réponds ! fais quèq'chose, dis quèq'chose, dis n'importe quoi, dis-lé, dis n'importe quoi mais parle crisse ! parle ! Dis n'importe quoi !

n'importe quoi !...

Y m'a lâché la main.

Y était temps.

Y voulait que je l'embrasse. J'aurais pas pu.

Je dois pas être le premier à avoir envie de vomir rien qu'en le voyant, lui, le trognon de six pieds mou, mangé par en dedans, bouché par les deux bouttes, plein de crasse, les poumons obstrués. Y se fait donner dix cennes. Y se traîne dedans le monde. Y dit « merci », y souffle. « Merci. » Pis y s'en va en se dessoufflant. Y va bientôt tomber comme une bouse quelque part. Dans pas longtemps. C'est des pauvres enfants de chienne. Des pauvres gros bœufs.

À l'abattoir. Sacrifiés.

Y doit être habitué à se faire envoyer chier.

Y m'écœure.

Pis j'm'écœure. M'en vas retrouver Moc. M'en vas dormir. En paix. J'espère. Si je peux dormir. Cette nuit.

Je me sens chien. Le robineux m'a écœuré. Si j'avais été saint André, ça aurait pas été pareil. Le robineux, j'aurais voulu le voir avec d'autres yeux, comme on dit dans les petits livres pieux. Mais les yeux, j'ai rien qu'les miens.

Si je revois le robineux, j'y donne la piasse au lieu du dix cennes. J'y montre mes poèmes dans mes carnets, y en a dans celui qu'Moc lisait quand chus sorti. J'y montre mes photos de famille, j'en ai deux dans mon tiroir. J'y paye une bière.

Mais ça l'empêchera pas de continuer à pourrir. Bouse en sursis... Bouse ambulante... Pourrir. De la tête aux pieds comme un gros chat mort, mouillé, humide, caillé dans son sang sur le bord d'un highway. Rongé.

Le lecteur s'imagine sans doute que je vais maintenant écrire « qu'après-je-me-suis-éveillé » ? Mais je rêvais pas.

C'était la vie. Pas toute la vie mais un de ses plus gros morceaux sales. J'ai remonté la rue Jeanne Mance jusque chez moé pis j'ai écrit ça pour arriver à dormir. Ç'a pas servi à grand chose. Le bonhomme, lui, je l'ai pas revu, même en rêve.

Mais Moc, elle, m'attendait.

Moc avait rien dit. Pis quand chus venu pour me coucher, a s'est approchée de moé. A m'a dit : « J'ai lu dans un de tes carnets, Ti-Jean. Viens icitte. » J'ai grogné : « Crisse... » J'avais envie de dormir. Pis j'ai dit : « Pourquoi ? » A m'a dit : « Viens. » Je me sus levé pour la suivre dans un coin de la chambre. Y avait un sac brun. A m'a montré ce qu'y avait dedans. Des cierges. Des gros cierges comme ceux qu'alle avait allumés durant la journée.

J'y ai demandé : « Pourquoi faire ? » A m'a dit : « On va les allumer. » « Pourquoi faire ? » « C'est pour la cérémonie, le feu ça fait le monde, aide-moé. » J'ai dit : « La cérémonie ? Quelle cérémonie ? » Alle a rien dit.

J'ai dit : « Bon, bon. » Alle a dit : « Nananne. » A voulait me faire rire, ça doit être ça. J'ai pas ri. Les cierges étaient beurrés de rouge pis de noir. A s'est mis à les allumer autour du sofa. J'ai faite pareil. Y étaient tellement larges qu'y tenaient tout seul à terre sur le prélart. Moc disait : « T'écris des affaires dures. Tu fais des affaires dures. Pis j'te l'ai pas dit mais t'as tué mon tchomme... »

Vous allez trouver ça drôle mais, au fond, je le savais.

Mais ça m'a quand même faite un drôle de *ploc* dans le ventre.

Pendant qu'a plaçait les cierges, je disais rien, j'avalais mon *ploc*.

— Je l'aimais, mon tchomme, disait Moc, j'pouvais pas m'en passer...

— C'est d'valeur, que c'est qu'j'ai faite...

— Hum...

Je me sentais niaiseux. Je regrettais *rien,* j'me sentais flate, je savais pas quoi dire.

On continuait à allumer les cierges.

— J'ai lu tes carnets, me dit Moc.

— Tu me l'as dit.

— T'as pas compris grand chose...

— Comment ça ?

On continuait à allumer les cierges pis à les poser sur le prélart autour du divan-lit.

— Ta philosophie, c'est de la crotte.

J'ai rien dit.

Les cierges, y devait en avoir une vingtaine. J'ai demandé à Moc combien y avait de cierges en tout. A m'a dit : « Vingt-deux. » J'ai dit : « C'est moins qu'vingt-trois. » Pis j'ai parti à rire. Alle a pas ri.

Quand on a eu fini, est allée s'étendre sur le lit, la blouse déboutonnée, les jambes ouvertes. A portait pas de culotte. Moé j'savais pas quoi faire. J'étais cassé partout.

— T'es cave, Ti-Jean, qu'a m'a dit. T'es cave, tu comprends rien. J'ai lu dans tes carnets pis j'voés ben qu'tu comprends rien. Tu sais même pas c'que c'est pour de vrai, tuer quelqu'un.

— Que c'est...

— J'vas t'montrer...

D'un coup alle a avancé sa main entre mes deux jambes. J'ai pensé au robineux. Qu'elle allait peut-être m'arranger comme lui. Que j'allais peut-être mourir bientôt ou pourrir d'un coup sur place, *flosh*. Pis je me sus senti excité. Me sus mis à bander. A m'a ouvert le pantalon pis alle a commencé à me la sortir pis à me durcir plus en s'ouvrant elle-même avec les doigts.

— Viens, Ti-Jean, viens. Y a quèq'chose que tu comprends pas pis j'vas te l'montrer...

— J'ai déjà fourré avec des femmes, crisse...

— Maudit qu't'es *cave* ! C'est pas ça ! J'veux t'montrer quèq'chose que tu sais pas...

— Qu'est-ce est tu veux dire ? !

— Viens.

Tout d'un coup j'pouvais pus parler.

J'étais entre ses deux jambes, ma bouche sur sa bouche. Sa langue, *sa langue m'entrait dans la gorge.* Pis ses yeux, c'était comme si ses deux yeux pointus étaient des vrilles ou des lancettes de couleuvres qui m'entraient loin par les miens : c'était comme si ça se mettait à tourner et à s'enfoncer autour de Moc, a m'tirait en dedans d'elle avec son vagin, j'étais dur comme du chêne pis j'entrais, j'entrais. La gorge bourrée. Pis le pénis. J'me sentais toute dans mon pénis. J'me sentais comme si j'étais un pénis. J'me sentais descendre dans mon pénis. Pis d'un coup j'ai commencé à pus m'sentir, ou plutôt j'me sentais mais j'étais comme de l'eau, j'avais pus d'forme, j'coulais comme dans une grande nuit noire, comme un pays, grande, grande comme un continent, comme une galaxie, j'entrais, j'entrais, je me sentais couler comme de l'eau bourrée de vie à toute vitesse partout, c'était comme si Moc m'avait avalé et me digérait quelque part dans les profondeurs de son vagin, *j'rêvais,* j'devais *rêver,* c'était comme si elle me liquéfiait et m'envalait au fond de son ventre. Dans le noir. Dans la nuit noire, serrée, pesante comme un gaz noir. Noir. Comme si je coulais dans un immense ventre plein d'eau noire.

Pis d'un coup j'me sus pus rappelé d'moé pantoute.

Quand j'me sus réveillé, j'étais sur le sofa.

J'me sentais tout rabougri pis toute mon linge était collant. J'étais tout replié. J'me sentais toute fripé. J'me sentais comme si on m'avait trempé dans un gros bol de Jell-O sucré pis collant pis qu'on m'avait laissé sécher sur le lit. Ça sentait les sécrétions, le lait, le sperme. J'me sus déplié — mais tranquillement ç'a pris du temps. Du temps. Pis à un moment donné je me suis relevé tranquillement pis j'ai essayé de poser mes pieds nus sur le prélart. C'était haut. J'ai fini par y toucher. J'avais les pieds sensibles, sensibles comme des peaux de soie. Pis j'avais mal à tête comme si on m'avait cogné.

Pis d'un coup j'ai crié, ça m'est sorti des poumons, fort, un cri pointu, aigu, des cris aigus, *j'ai hurlé,* c'était à cause de l'air autour qui me faisait mal à peau pis qui me raclait la gorge et les poumons, c'était à cause du prélart qui me faisait toujours aussi mal aux pieds, pis à cause de la gorge, pis à cause de la tête. On aurait dit que toute c'qu'y m'entourait était un gros coup de poing ou des gros coups de griffes, c'était comme si tout ce qu'y m'en-tourait était un seul et unique et constant coup de griffes et de poings géants.

J'me sus levé du lit.

J'ai marché même si ça faisait mal.

J'avais d'un coup envie de me battre avec la chambre pis avec tout c'qui m'envoyait ces maudits coups de poings-là pis ces maudits coups de griffes-là. Ça me serrait de partout aussi, ma chambre était comme un gros casse-noisettes invisible qui se refermait, ma chambre était comme une pince géante, un gros, un gigantesque casse-noisettes qui arrêtait pas de se refermer sur moi en serrant, en serrant pour écraser ma coquille. La coquille de ma peau molle comme une peau de soie. Toute touchait ma peau partout.

J'me sus rappelé Moc.

Qu'est-ce est qui m'était arrivé ?

A m'avait fait entrer dans son vagin, loin, crissement loin ?

J'avais-tu rêvé ?

J'rêvais peut-être.

Maintenant je marchais dans la chambre en titubant. En titubant pis en criant. Comme un bébé. En hurlant. Comme un petit loup, comme un petit loup-garou. Je cherchais un miroir, quelque chose. Pis chus arrivé devant le miroir au-dessus du Royal Doulton made in England. Y était plus haut que d'habitude. J'ai pensé un instant à Alice au pays des merveilles. Mais là c'était Ti-Jean au pays des horreurs. J'ai dû monter sur une chaise pour pouvoir me voir. Pis j'voulais m'voir pis je l'voulais en maudit. Le miroir était beaucoup trop haut, beaucoup plus haut que d'habitude. Pis le fait de marcher, de pouvoir marcher : je sais pas pourquoi ça me faisait un effet *comme si c'était un miracle,* même si ça faisait mal.

J'me sus levé le cou. Devant le miroir. Pis là j'ai pu regarder.

Pis j'me sus remis à crier. Pis j'me sus remis à hurler.

Moc. J'la voyais en arrière de moé dans le miroir. Moc.

A venait de rentrer. Je l'avais pas entendue. A tenait une pinte de lait dans sa main. Elle aussi a regardait dans le miroir, a me regardait avec ses yeux pointus de serpent. Pis moé j'me voyais dans le miroir en même temps que j'la voyais. Pis j'criais. J'criais. J'CRIAIS ! Moc, en arrière, a disait : « J't'aime ben mieux d'même... »

Mais c'était pas moé.

C'était pas moé qui me regardais dans le miroir. C'était pas moé, crisse ! Pas moé pantoute. Pas moé. J'ai crié : « C'est pas moé, estie ! »

— Oui, c'est toé, c'est ça qu'y faut qu'tu comprennes, crisse de cave. C'est toé.

— Mais chus pas *mort,* moé.

— Çartain qu't'es pas mort, disait Moc.

J'criais.

— T'es un hostie d'beau bébé. C'est d'même que j'les aime.

J'm'étais arrêté de crier. J'en pouvais pus.

J'arrêtais pas de me regarder dans le miroir.

Si c'était ça, c'était ça. J'pouvais rien contre. Rien contre le fait que c'était pas moé que j'voyais dans le miroir.

Rien contre le fait que c'était Bouboule.

DIALOGUES
DES SERVEUSES

1

Dialogue du Ti-Pit

La première serveuse : Ma concierge voudrait qu'j'aye une bonne pour garder le ti-pitte... Ch'peux pas payer pour une bonne...

La deuxième serveuse : C'est sûr, c'est cher...

La première : Pis pas rien qu'ça... Ma concierge s'imagine qu'est toujours fatiguée à cause que le ti-pitte y fait du bruit quand chus pas là... A dit qu'a finit pus d'faire le ménage toute la journée pis qu'ça la fatigue d'entendre Michel. Mais ça s'peut pas parce que Michel y va à l'école... Ch'pense qu'alle a d'la mauvaise volonté... Qu'est-ce que vous en pensez, vous madame ?...

La deuxième serveuse : Aah... Y a du monde de même... Moé chus d'vot bord...

La première : Hier quand chus rentrée a m'a dit : « Chus fatiguée, moé, d'toujours faire le ménage... » J'voés pas pourquoi qu'a chiâle, c'est son métier, faire le ménage : est concierge... A m'a donné l'diable pour rien... Ça fait que j'y ai dit que moé aussi j'en avais une, une journée dans l'corps, pis une maudite, d'in reins pis d'in pattes...

La deuxième serveuse : Pis qu'est-ce qu'alle a dit ?

La première : Elle a chiâlé encore... Moé, si faut que j'me mette à payer une bonne j'arriverai plus han ?...

La deuxième serveuse : Waingne...

(L'une des serveuses est grosse, forte, vigoureuse ; cheveux courts, raides et noirs. Yeux bleus plus gerçures aux jointures des doigts. Gerçures : petits sillons rougissant et squames de peau blanche et sèches quand les mains ne sont pas dans l'eau savonneuse de la vaisselle. Quand les mains sont dans l'eau, les squames ramollissent et les sillons se rouvrent mollement. Les mains des serveuses sont en général bronzées. Elles sont toujours ridées, rêches, consistantes et maternelles, à croire que le fait de laver de la vaisselle leur invente des enfants.

L'autre serveuse a les cheveux teints noirs et la voix de la trentaine, douce, tendre, soumise et maternelle. Taille et poitrine de jeune mère, jupe noire et blouse blanche, bras bruns et charnus, sans graisse molle. Elle se tient derrière le comptoir, les mains dans l'eau grise de la vaisselle. Le déjeuner coûte 29 cennes : deux œufs, deux tôsses, un café.)

2

Dialogue des gerçures

La première serveuse : Avez-vous des gerçures, madame ?...

La deuxième serveuse : Oui, r'garde... C'est le savon...

La première : Mon Dieu !... J'me demande quelle sorte de savon y faudrait prendre...

La deuxième serveuse : Qu'est-ce que tu veux, avec des gants d'caoutchouc, la vaisselle c'est pas faisable, ça va trop mal...

La première : Ça c'est vrai, Han ?...

(La deuxième serveuse a montré ses gerçures aux jointures comme on montre une bague de fiançailles, en tapotant l'air avec les doigts).

3

Dialogue de la serveuse et du client
souffrant d'un mal de tête

(Le client a de la peine pour la serveuse à cause de
ses gerçures de fiançailles mais y a trop mal à tête pour le
dire, y en a pas envie. Pis à part ça les serveuses s'en font
pas trop avec leur gerçures. Elles en parlent comme un
policier d'un délinquant abattu.)

Le client : Deux Madelons s'y vous plaît...

La serveuse : Deux sacs ?

Le client : Non... Deux pilules...

La serveuse : Vous avez pas digéré vot'déjeuner ?...

Le client : Oui, oui... J'ai digéré... Y était bon vot' déjeuner.
(y faut toujours dire pourquoi on fait ci pis pourquoi on
fait ça)... C'est mes bines d'hier que j'digère pas...

4

Dialogue de l'intellectuel nationaliste
et de la serveuse

La serveuse : J'vous apporte la facture, monsieur...

L'Intellectuel nationaliste : Ma-de-moi-sel-le !

La serveuse (elle revient vers la table) : Oui, monsieur...

L'Intel-natio : Ma-de-moi-sel-le... humm... (Il prend une intonation du dimanche et relève la tête avec solennité). C'est en tant que Canadien français que je m'adresse à vous. Voici... Pourriez-vous, à l'avenir, dire « addition » et non « facture » ? « Facture » est une anglizisme (Il la regarde avec bonté et douce condescendance).

La serveuse : Bien, monsieur...

(La serveuse lui apporte la facture.)

La serveuse : Voici l'addition, monsieur...

(L'Intel-natio quitte le restaurant en laissant un pourboire de cinquante cennes.)

La serveuse à une autre serveuse : ... Cinquante cennes...

Addition, ça paye... Y a du foin, c'gars-là...

L'autre serveuse : Hummm...

La serveuse : ... Pour qui tu votes, toé ?...

L'autre serveuse : Moé ?... J'ai pas de temps à perdre !...
(Elle se tourne vers la cuisine.) Deux ord'de tôsses ! (Elle
se retourne vers la serveuse à la facture.) Pour qui qu'ça
s'prend, c'monde-là ? Moé, à ta place, j'l'aurais mis à sa
place !...

La serveuse : Oui, mais y a tipé, l'gars...

L'autre serveuse : Waingne...

AND ON EARTH, PEACE

L'aube. La soupape blafarde. La viscosité de l'humidité. Le froid. Une odeur de ciment gelé s'est figée dans mes sinus. L'odeur a disparu. J'ai beau me dilater les narines, je n'arrive pas à la renifler de nouveau. Odeur de ciment gelé ! oua ! Pis après. M'en sacre. Odeur de quèq'chose. Ça puait. Chus jamais allé m'placer l'nez au-dessus du ciment gelé, comme ça, pour le fonne. Pourrais ben dire que ça sent gris. Ah ! Pis après. M'en sacre. Pas pour me mettre à recherche des puanteurs. Chus pas imprésario. Me retrouver à dump. Nez dans marde. Pour trouver des puanteurs. Non, non. Hey ! Pas si cave.

Il frissonne. Il n'aime pas ça. Il sait qu'une stupide absence de chapeau ou de bottes fourrées, plus la fatigue — il est fatigué — et c'est une pleurésie « légère ». Ça lui arrive tous les hivers. Le frissonnement. Ouerch ! maudite marde ! Bromo quinine — pilule verte. À chaque frissonnement, y répète la même chose. Un vrai chien de Pavlov. Une fringale lance un sang nerveux à ses tempes. Par saccades. D'un coup, sans crier gare, ses mâchoires se décrochent. Ses nerfs cèdent quelque part. L'épaule croule vers la droite. La tête vers la gauche. Puis vrang, la mâchoire. Frissonnement. Des phrases et des mots s'entre-choquent dans sa tête.

« Brassées par bandes, brassées par bandes », Une écharde de poème. « Un-brin-d'scie-fait-la-planche ». Six pieds. Celui-là, c'est de moi. Comique en barnac, han, Baudelaire ? Mon enfant, ma sœur, songe à la partie de fonne d'éparpiller des confettis de poèmes à tous les coins de rues. Un policier au bout de chaque doigt, astiquer rageusement les écuries d'Augias. Je l'aime. Un beau mot — allons — un beau geste. Un beau fumier toute cet anthropophagie. Songe à la douceur d'aller là-bas. Non, non. Pas dans les écuries d'Augias. Tu connais pas Augias ? Un beau malpropre. T'en parlerai. Songe à là-bas pis pose pas de questions. Les guerlots sonnent (pause) dans la vallée (demi-pause). C'est une trôlée de morveux dans ma tête grosse comme un orphelinat. Mon enfant, ma sœur, songe un peu, c'est douze dollars pour les bonnes bottes — ben non, voyons, des bottes qu'on se met d'in pieds, cochonne. On est fourré. Là, tout n'est qu'ordre et marché, marche par là mon poulet que ch'te pleume, luxe, calme et volupté.

La veille, il est allé louer une chambre pour Loulou. Elle dix-huit ans. Elle est enceinte de lui. Il a trouvé la chambre vers neuf heures. Loulou est venue s'étendre sur le lit. Elle a souri. Ch'suis fatiguée. Sourire triste, pensa-t-il. Triste... non. Je dis ça parce que je sais, moi, qu'elle est lasse et sans doute triste... ça se voit dans les yeux. Lasse et écœurée. Je sais. Si un autre l'avait vue sourire, un inconnu, aurait-il pu deviner ses sentiments réels ? Peut-être. Sourire triste... ça se sent. Ce sourire, ce visage, sont explicites. Ce sourire n'est pas artificiel. Ne laisse rien sous-entendre. Ne cache pas l'écœurement. Il le transforme. Toute la douceur du monde vient se résorber dans un mouvement des lèvres. Loulou sourit.

Être envoûté par le simple contact du regard avec le sourire d'une écœurée. Comprends pas. Veux-tu me dire.

Ces sourires-là, on s'en rappelle toujours. Loulou sourit. Loulou sans emploi, sans amis, cassée, fatiguée, à bout. Loulou palpable, aussi, passionnée. Loulou enceinte. Loulou dans marde comme beaucoup d'autres. Loulou sourit. Écœurée. Chaleureusement vraie.

Il est allé acheter des hot-dogs et des patates frites, rue Amherst. Loulou s'est endormie après avoir mangé. Pâle. Belle. Ailleurs, Ailleurs. Ayeur. 'Yeur... Le mot se retournait sur lui-même dans sa tête, lentement, coulait le long de ses tempes... ayeur... yeur... Tout semblait être ailleurs dans cette chambre. La chaise, la table, le lavabo. Les deux ampoules fixées au mur. L'une, pendante — oblique et raide, plutôt. L'autre, horizontale, plus jeune, sans doute. « Plus jeune », pensa-t-il ; c'est stupide. Ampoule « jeune ». Oua ! Et d'abord, pourquoi plus jeune ? Parce qu'elle est horizontale et que l'autre est penchée, oblique ? Un mort peut être horizontal ou oblique... aucun rappot avec le dilemme, il y a de vieux morts et de jeunes morts. D'ailleurs, un pendu est perpendiculaire... aucun rapport avec les ampoules, aucune d'elles n'est perpendiculaire... complexe tout ça. Ampoule jeune. Waingne ! Parce qu'elle semble résister avec plus de ténacité que l'autre à l'attraction terrestre, voilà... mais il y a des jeunesses molles et des vieillards énergiques. Waingne ! C'est pas l'ampoule qui résiste à l'attraction terrestre, c'est la prise de courant...

Il passa peut-être par Lagrange, Newton ou Einstein. Le libertinage de ses spéculations semblait se faire d'une façon de plus en plus autonome et de moins en moins consciente.

Il écoutait le silence : c'était l'assourdissant tic-tac tic-tac tic-tac d'un petit réveil-matin. Lui, il se sentait de plus en plus immobilisé près de la porte. Il parcourut discrètement, du coin de l'œil, le cadran de sa montre. Les aiguilles indiquaient une heure trente-deux, l'aiguille des secondes tournait, plus explicite que jamais. Les secondes passaient, passaient, trépassaient. Un léger pivotement de la tête et surtout des yeux. Loulou dormait. Retour au cadran : l'aiguille tournait. Le silence : tic-tac tic-tac tic-tac. Il dirigea lentement sa main vers le commutateur : ne pas éveiller Loulou.

Tic-tac tic-tac tic-tac tic-tac. L'index appuya sur le bouton du commutateur. Clap ! Le silence sembla se taire. La noirceur l'acheva. Il n'entendit plus rien. La pénombre l'éveilla un peu. Il osa brusquement la main vers la poignée de la porte. Le silence reprenait son tic-tac. Pas de répit. La poignée. Un grincement.

*

Il marche depuis environ un heure. Par moments, il frissonne. Loulou : une image qui émerge dans sa tête, persistante et floue, qui émerge entre deux grouillements d'images et de réminiscences imprécises, persistantes, Loulou. La chaise, la table, le lavabo. Les ampoules. La Catherine. Le soir même, vers sept heures, il était allé marcher sur la Catherine, après les bines de l'Eldorado. Catherine rotait déjà son White Christmas, le vessait, le barguinait, le cantiquait, elle pissait partout son rimel de néon. Les cash pis le p'tit change sonnaient à toute volée, etc., etc., etc.

Il marche depuis longtemps. Par moments, il frissonne. Son corps tressaille un court instant. Une avalanche d'images se déclenche dans sa tête. Le frisson cesse ; le délire dure et s'apaise. Puis ça recommence. Sueurs de pieds refroidies. Frissonnements.

« L'aube tarde à venir, et dans le bouge étroit
Des ombres crucifiées agonisent aux parois. »

Par ici, Cendrars, c'est Noël à Montréal. Ça pette, ça braille, ça râle. T'aurais dû voir la Catherine hier soir. A jouissait. Une vraie guidoune. Y manquait rien que les dentelles au cul. Mon vieux Cendrars, faudrait vraiment pas qu'elle chante durant l'éternité. « ... L'aube a glissé, froide comme un suaire... »

Il marche sur le ventre refroidi de la Catherine. Elle s'étale, morne et démaquillée, de l'Est à l'Ouest, dans sa sueur figée. Tiquée, han, ma grosse ? Aigres en bile, chers en sperme, tes petits Noëls aux films cochons. Tes saintes réjouissances, tu peux t'les renvaginer. Pis l'Jésus d'cire. Le sauveur du monde y pisse au lit, y pisse partout. Par ici, bain d'pipi, douche de pipi, chapelets, missels sauce pipi : 20% de rabais, avec la taxe ça fait — attends un peu — ça fait... pipi au lit, pipi partout, avec garantie pour quarante jours et quarante nuits, déluge de pipi sauve qui peut chacun pour soi choit sur l'autre.

> Zing zing one two
> a dit woup Farnantine
> la bizoune à Raspoutine
> barguine-moé ton violon
> l'pays marche à reculons
> zing zing two three !

Un poignard valse dans mon crâne. C'est un glaçon de joie qui perce mon rhume de cerveau. C'est une croix. Elle se déforme. Elle fond. Elle rétrécit. Elle se fige. C'est un sergent emprisonné. Un signe de piastre. And on earth peace. Minuit chrétien c'est l'heure du crime : l'homme, le dollard à la main, touiste et dérape sur l'escalator de son destin. And on earth peace, à rabais, beau bon pas cher. Ils ont l'air cave. Non, ils ont l'air tragique. Ils ont l'air comique. Ils ont les pieds meurtris. Ils sont hypnotisés. Ils sont harassés. Ils suent. Ils s'écorchent l'œil partout. Ils ont mal à l'âme. Elle barbotte dans l'alcool. Dans l'estomac. Dans les talons. Avec la taxe, ça fait...

C'est pas un moulage de cire, un pipi de l'Esprit-saint, un leurre solennel que Loulou couve dans son sein. C'est le fruit de la synthèse d'un ovule et d'un spermato-zoïde. Waingne. Ça n'attend ni l'opération du saint-es-prit, ni le plein-emploi. Ça n'attend pas sagement l'au-tobus en rang d'oignons gelés. Ça fonce tête première l'un dans l'autre. Ça s'éteint, ça s'aime, c'est bohème à s'en faire la morale. Neuf mois plus tard, ça s'est concerté pour demander à manger. Des vrais gavions. Y faut l'vouâr pour le crouâre — comme pour les grandes ventes d'écoulement.

Minuit chrétien. Décompte. Le chiffre d'affaires d'Eaton's, de Morgan's, de Dupuis, de Patente et com-pagnie, de Bébelle incorporé. La messe de minuit — envouèye, marche. Perds pas ton ticket. Les malengueu-leries familiales. Les ruelles du bas de la ville où aucun sapin ne viendra traîner après le premier janvier. Y a des bonnes âmes qui se font appeler les amis des pauvres. Une fois par année, y rapaillent une gagne de cassés pis y leû payent un festin-de-jouâ. O sâ-înte nuit. Y les aiment-tu donc. Y les aiment comme y sont. Y les aiment cassés. Faibles. Pitoyables. Y les aiment ignorants. Carencés. Aliénés. Y les aiment étouffés. Viciés. Vicieux. Y les aiment comme ça. La pauvreté est une nécessité sociale. Une fois par année, ça nous permet de nous retaper la conscience.

Les cassés. Culpabilisés. Conditionnés à la petitesse morale. Aimez-les comme y sont, y resteront comme y sont. La tactique, c'est d'leû calfeutrer l'estomac à inter-valles réguliers. Le bourrage de crâne fait le reste. Crânes bourrés, dindes farcies, joyeux Noël.

184

Ils ont besoin d'amour ? Non. Ils ont besoin d'aimer. Et ils haïssent. Il se haïssent eux-mêmes. S'aimer eux-mêmes comme ils sont, c'est du masochisme. Quand ils s'aimeront eux-mêmes pour de vrai, ils auront honte. Ils feront la révolution. Il se voudront autres.

Les cassés. Même pas l'instinct sûr des bêtes.

Incarcérés pour vols et viols. Remis dans le droit chemin de Saint-Vincent-de-Paul. Mets-toé à genoux. Baise-moé a main. Baise-moé le cul. Plaide coupable, ça coûte pas une cenne. T'as péché par ivrognerie. T'as péché par impureté. T'as péché par icitte pis t'a péché par là. Mon frère en Crisse. Le bonyeu vâ t'pardonner tes zaveuglements. Nouzô't on vâ t'les conserver. Mange pis fârme la yeule.

Dernière cène, brochée sur tapis, latest style : $9.95 ; avec la taxe, ça fait... éponge au pipi.

Hypnotisés. Donne in bôbec pis va t'coucher pitou pis prie le p'tit Jésus d'réchauffer l'Père Noël. Y pourrait avouèr frette à souèr dors goudou goudou. Faut qu'tu souèyes fin fin sans ça le P'tit Jésus va dire au Père Noël de pas v'nir te ouèr. T'à l'heure y va descend' par la cheminée pis pa pi po pi, etc.

— C'est pas une cheminée qu'on a c'est un tuyau d'poêle.

— Le Père Noël y peut tout faire. Y est magicien.

— Comme le bon Dieu ?

— Comme le bon Dieu. Dors, goudou gou...

— Comme ça, y a deux bon Dieu ?

— Ben non, vouèyons ! Dors, g...

— T'as dit que...

— Tais-toé, pis dors ! Goudou goudou !

C't'enfant-là y a ben qu'trop d'imagination. Y pose toujours des questions nounounes.

Avec la taxe, ça fait...

Sur la Catherine, un panneau-réclame attire l'attention. À droite d'une colombe blanche et majestueuse, en exergue : « ... and on earth peace ». À droite, en bas, c'est signé : Royal Bank. Et pendant ce temps, comme dit la chanson, le pathos éjacule dans les cash.

Lui, c'est l'aube, et il marche sur la Catherine. Par moments, il frissonne. Bromo quinine — pilule verte. Il est n'importe quoi. Moi, toi, lui. Une obstination fortuite, insolite, incohérente. Il serait risible de dire qu'il n'est plus rien. Mais qu'est-il ? Fringale, fatigue, douleurs, sueurs de pieds refroidies, envies de tuer, envies. Une charade fantasque.

Une charade d'envies, d'impulsions irrationnelles. Un animal blessé qui désespère de trouver exactement où se situe la blessure. Quelle en est la provenance. C'est le récit de l'homme blessé à l'esprit et au corps qu'il faut écrire. Sans arrière-pensées littéraires, sans visées esthétiques. La révolte, c'est la réaction scabreuse de l'homme quand il prend conscience de sa situation de cobaye, sans même l'attention qu'on prête à ce dernier. On ne néglige pas et on ne mutile pas impunément l'humain. Dans l'autre ou en nous. Un jour ou l'autre, il nous recrache nos verbiages en plein visage. En attendant...

Le Royal Bank. Il s'est arrêté devant. Il ne la voit peut-être pas mais il la sent. Tout le fragile humain s'est broyé dans sa tête.

Sur un lit, une fille enceinte. Les toits et les murs se sont effondrés. Il neige. Le lit, avec la fille dedans, est en plein milieu de la Catherine. La fille y dort. Il est sept heures du soir. Les autos klaxonnent, foncent dans les ruines. Les hypnotisés se ruent sur les vitrines, les défoncent, pillent, massacrent. La hideur se donne des ailes d'anges de carton. C'est le rite, l'incantation du dollar, la masturbation collective, la joie vicieuse des cantiques, les cloches du hameau, du nanane, du libertinage des chapelets.

L'imagination multiplie le mal à l'infini ; d'abord elle semble couver les impressions. La coquille du crâne se brise. Une écaille entame la cervelle. Les phantasmes germent comme des champignons. On patauge en pleine omelette. Plus l'omelette tremble, plus les pensées glissent et butent, saoules et incohérentes ; les phantasmes épuisent. La volonté est devenue inutilisable, infirme.

L'imagination attendait, passive. Un coup dur. Un autre. On s'énerve. On se fatigue. L'avenir devient rebutant, menaçant. Des phobies nous triturent le ventre. Tout l'être se crispe. La conscience est submergée.

Une courte accalmie, parfois... demain, tout à l'heure, dans un instant, déjà tout recommence. Casser des vitrines, des yeules, n'importe quoi. Pire que de tout haïr, tout nous ahurit. Le mal est là. La réalité ne nous façonne plus, elle nous défigure.

Alléluia, Royal Bank, pour tes colombes de Claude Néon, pour tes saintes images d'Elizabeth, vertes, roses, bleues, cananéennes ; alléluia pour tes hommes de bonne volonté, ceux de la Brink's, ceux-là aussi qui calculent derrière tes guichets, qui ternissent leur œil et leur propre richesse ; alléluia pour la caisse de Noël, pour les chômeurs toast and beans and vomissures de rage à taverne, and bonjour monsieur l'curé, and toujours pas d'travail, and c'est du sentimentalisme ton affaire, and mon vieux du perds ton temps, and on écrit pas comme ça, and on attend pour écrire, and on attend la permission, and vous m'faites chier pis j'continue gagne d'égossés, alléluia, Royal Bank, pour tes coffres-forts viragos vierges sans joie ni foi, pour ta confrérie instruite, ceux qui savent compter plus loin que 100,000, ceux qui disent moâ, ceux qui disent we, me

I and So what, ceux qui mettent des « S » à salaire, ceux qui mettent des « H » à amour, ceux qui ont mis la hache dedans, ceux qui m'ont fait charrier, ceux qui m'ont fait sacrer ; alléluia White Chrismas en Floride avec la secrétaire ; plante-la pour la plus grande gloire du Canada, de sa goderie et de nos bonyeuseries, des trusts, des vices à cinq cennes, de nos perversités à rabais, du mépris, de l'humiliation et de la xénophobie ; alléluia pour les indulgences salvatrices de nos frustrations d'invertis, alléluia pour la fraternité humaine in the life insurance company, and on earth peace — alléluia pour nos hernies, nos conscrits, nos pendus, nos prisonniers, nos aliénés, nos curés, nos imbéciles, nos stoûles, peace. At any price. Avec la taxe, ça fait...

JACQUES RENAUD

Jacques Renaud est né à Montréal le 10 novembre 1943. Tout en complétant son cours secondaire, il suit des cours de phonétique et de diction au studio de Suzanne Marot (1956-1960). Dès l'âge de 14 ans, il commence à écrire et, en 1962, il publie son premier recueil de poésie, *Électrodes*. Au début des années 60, il se lie d'amitié avec André Major et Gilbert Langevin. En 1964, il publie *Le cassé*. Il collabore alors épisodiquement à la revue *Parti pris*.

Ayant quitté sa famille à 17 ans, Jacques Renaud travaille d'abord en usine, puis il devient commis-réparateur à la Cinémathèque municipale de Montréal (1963-1964), reporter pour *Métro-Express* (1965), rédacteur-publicitaire et traducteur chez Cockfield & Brown (1966) et, enfin, recherchiste à Radio-Canada pour l'émission *Le sel de la semaine* (1967-1968). Il séjourne à Paris en 1969 et en Inde en 1970, après avoir découvert l'œuvre de Shrî Aurobindo.

Journaliste-pigiste à Radio-Canada, il collabore à de nombreux périodiques dont *Perspectives, Forces, Le Devoir, La Presse, Jonathan, Vie des Arts, Mœbius, L'Esplumoir, Lettres françaises, Brèves, NYX, Québec littéraire*. Après avoir été moniteur de hatha yoga (1975-1976), il fonde et anime deux petites maisons d'éditions (1979-1981), les Éditions de la Lune occidentale et les Éditions du Transplutonien. Depuis 1980, il anime des ateliers de création littéraire à l'Université du Québec à Montréal. Son œuvre est connue et enseignée, entre autres, dans plusieurs universités allemandes (Augsburg, Nuremberg) dans le cadre des facultés des langues romanes et il fut le premier écrivain québécois à être invité à ce titre par la Freie Universität de Berlin-Ouest en 1984.

L'œuvre de Jacques Renaud, très libre, souvent bouleversante et parfois volontiers humoristique, étonne par l'éventail des tendances où l'on décèle un courant magiste ou mystique et un instinct des images et des thèmes mythiques alors que certains morceaux témoignent plutôt de son indéniable talent de conteur populaire et réaliste.

BIBLIOGRAPHIE

Poésie

Électrodes, Montréal, Éditions Atys, 1962.

Le fond pur de l'errance irradie, Montréal, Parti pris, 1975.

La colombe et la brisure éternité, Montréal, le Biocreux, 1979.

D'ailes et d'îles, Montréal, en collaboration avec Leonard Cohen, Claude Haeffely, Michael Lachance, Éditions de la Marotte, 1980. Lithographies de Kittie Bruneau.

Arcane seize, sous le pseudonyme de Élie-Pierre Ysraël, Montréal, Éditions de La Lune occidentale, 1980.

La ville : Vénus et la mélancolie, Montréal, Éditions de La Lune occidentale, 1981.

Par la main du soleil précédé de *Les saisons du saphir,* sous le pseudonyme de Ji R., Montréal, Éditions de La Lune occidentale, 1981.

La nuit des temps, Montréal, Éditions de la Lune occidentale et du Transplutonien, 1981.

La nuit des temps, Montréal, Triptyque, 1984.

Les cycles du Scorpion, poèmes et proses (1960-1987), Montréal, l'Hexagone, coll. Rétrospectives, 1989.

Nouvelles

Le cassé, Montréal, Parti pris, 1964.

Le cassé et autres nouvelles suivi de *Le journal du cassé,* Montréal, Parti pris, 1978.

L'espace du diable, Montréal, Guérin Littérature, 1989.

Autres œuvres :

En d'autres paysages, roman, Montréal, Parti pris, 1970.
Le cycle du Scorpion, Montréal, Éditions de la Lune occidentale, 1979.
Clandestine(s) ou La tradition du couchant, roman, Montréal, le Biocreux, 1980.

En traduction :

Flat Broke and Beat, traduction anglaise du *Cassé* par Gérald Robitaille, Montréal, Éditions du Bélier, 1968.
Broke City, traduction anglaise du *Cassé* par David Homel, Montréal, Guernica, 1984, préfaces de Gérald Godin et Ray Ellenwood.

TABLE

COLLECTION DE POCHE TYPO

COLLECTION ESSAIS LITTÉRAIRES

Micheline Cambron, *Une société, un récit*
Guy Cloutier, *Entrée en matière(s)*
Dominique Garand, *La griffe du polémique*
Gilles Marcotte, *Littérature et circonstances*
Pierre Milot, *La camera obscura du postmodernisme*
Pierre Ouellet, *Chutes*
Lucien Parizeau, *Périples autour d'un langage*
Robert Richard, *Le corps logique de la fiction*

COLLECTION POLITIQUE ET SOCIÉTÉ

Louis Balthazar, *Bilan du nationalisme au Québec*
Jean Mercier, *Les Québécois entre l'État et l'entreprise*
Paul Warren, *Le secret du star system américain, une stratégie du regard*

COLLECTION GÉRALD GODIN

Robert Hébert, *L'Amérique française devant l'opinion étrangère, 1756-1960*
Jules Léger, *Jules Léger parle*

COLLECTION ITINÉRAIRES

Élaine Audet, *La passion des mots*
Denise Boucher, *Lettres d'Italie*
Jean-Claude Dussault, *L'Inde vivante*
Arthur Gladu, *Tel que j'étais...*
Roland et Réjean Legault, *Père et fils*
Johnny Montbarbut, *Si l'Amérique française m'était contée*
Pierre Perrault, *La grande allure, 1. De Saint-Malo à Bonavista*
Pierre Perrault, *La grande allure, 2. De Bonavista à Québec*
Pierre Trottier, *Ma Dame à la licorne*

COLLECTION RENCONTRE QUÉBÉCOISE INTERNATIONALE DES ÉCRIVAINS

Collectif :   *Écrire l'amour*
              L'écrivain et l'espace
              La tentation autobiographique
              Écrire l'amour 2
              La solitude
              L'écrivain et la liberté

COLLECTION CENTRE DE RECHERCHE EN LITTÉRATURE QUÉBÉCOISE (CRELIQ)

Maurice Arguin, *Le roman québécois de 1944 à 1965. Symptômes du colonialisme et signes de libération*
François Dumont, *L'éclat de l'origine. La poésie de Gatien Lapointe*

ESSAIS

Raoul Roy, *Les patriotes indomptables de La Durantaye*

Jean Royer, *Écrivains contemporains, entretiens I (1976-1979)*

Jean Royer, *Écrivains contemporains, entretiens 2 (1977-1980)*

Jean Royer, *Écrivains contemporains, entretiens 3 (1980-1983)*

Jean Royer, *Écrivains contemporains, entretiens 4 (1981-1986)*

Jean Royer, *Écrivains contemporains, entretiens 5 (1986-1989)*

Stanley-Bréhaut Ryerson, *Capitalisme et confédération*

Rémi Savard, *Destins d'Amérique*

Rémi Savard, *Le rire précolombien dans le Québec d'aujourd'hui*

Rémi Savard, *Le sol américain*

Rémi Savard, *La voix des autres*

Rémi Savard / Jean-Pierre Proulx, *Canada, derrière l'épopée, les autochtones*

Robert-Lionel Séguin, *L'esprit révolutionnaire dans l'art québécois*

Robert-Lionel Séguin, *La victoire de Saint-Denis*

Jocelyne Simard, *Sentir, se sentir, consentir*

Jean Simoneau, *Avant de se retrouver tout nu dans la rue*

Jeanne M. Stellman, *La santé des femmes au travail*

Jean-Marie Therrien, *Parole et pouvoir*

Pierre Trottier, *Ma Dame à la licorne*

Paul Unterberg, *100,000 promesses*

Pierre Vadeboncœur, *La dernière heure et la première*

Pierre Vadeboncœur, *Les deux royaumes*

Pierre Vadeboncœur, *Indépendances*

Pierre Vadeboncœur, *Lettres et colères*

Pierre Vadeboncœur, *To be or not to be, that is the question*

Pierre Vadeboncœur, *Trois essais sur l'insignifiance* suivis de *Lettre à la France*

Pierre Vadeboncœur, *Un génocide en douce*

Pierre Vallières, *Nègres blancs d'Amérique*

Pierre Vallières, *L'urgence de choisir*

Paul Warren, *Le secret du star system américain, une stratégie du regard*

Heinz Weinmann, *Du Canada au Québec*

Heinz Weinmann, *Cinéma de l'imaginaire québécois*

Lao Zi, *Le tao et la vertu*

COLLECTION FICTIONS

Robert Baillie, *Soir de danse à Varennes*
Robert Baillie, *Les voyants*
François Barcelo, *Aaa, Aâh, Ha ou Les amours malaisées*
France Boisvert, *Les samourailles*
France Boisvert, *Li Tsing-tao ou Le grand avoir*
Christine Bonenfant, *Pour l'amour d'Émilie*
Réjean Bonenfant, Louis Jacob, *Les trains d'exils*
Nicole Brossard, *Le désert mauve*
Gilbert Choquette, *L'étrangère ou Un printemps condamné*
Gilbert Choquette, *La Nuit yougoslave*
Guy Cloutier, *La cavée*
Diane-Jocelyne Côté, *Lobe d'oreille*
Richard Cyr, *Appelez-moi Isaac*
Norman Descheneaux, *Fou de Cornélia*
Norman Descheneaux, *Rosaire Bontemps*
Renée-Berthe Drapeau, *N'entendre qu'un son*
Andrée Ferretti, *Renaissance en Paganie*
Lise Fontaine, *États du lieu*
Madeleine Gaudreault-Labrecque, *La dame de pique*

Marc Gendron, *Opération New York*
Gérald Godin, *L'ange exterminé*
Marcel Godin, *Après l'Éden*
Marcel Godin, *Maude et les fantômes*
Pierre Gravel, *La fin de l'Histoire*
Pauline Harvey, *Pitié pour les salauds !*
Louis Jacob, *Les temps qui courent*
Monique Juteau, *En moins de deux*
Luc Lecompte, *Le dentier d'Énée*
Raymond Lévesque, *Lettres à Éphrem*
Réjean Legault, *Lapocalypse*
Francine Lemay, *La falaise*
Jacques Marchand, *Le premier mouvement*
Joëlle Morosoli, *Le ressac des ombres*
Alphonse Piché, *Fables*
Simone Piuze, *Les noces de Sarah*
Pierre Savoie, *Autobiographie d'un bavard*
Julie Stanton, *Miljours*
Claude Vaillancourt, *Le Conservatoire*
Pierre Vallières, *Noces obscures*
Yolande Villemaire, *Vava*
Paul Zumthor, *Les contrebandiers*
Paul Zumthor, *La fête des fous*

COLLECTION FICTIONS/ÉROTISME

Charlotte Boisjoli, *Jacinthe*

ROMANS

Madeleine Ouellette-Michalska, *La femme de sable*

Madeleine Ouellette-Michalska, *Le plat de lentilles*

Paul Paré, *L'antichambre et autres métastases*

Alice Parizeau, *Fuir*

Pierre Perrault, *Toutes isles*

Léa Pétrin, *Tuez le traducteur*

Alphonse Piché, *Fables*

Simone Piuze, *Les noces de Sarah*

Jacques Renaud, *Le cassé et autres nouvelles*

Jacques Renaud, *En d'autres paysages*

Jacques Renaud, *Le fond pur de l'errance irradie*

Jean-Jules Richard, *Journal d'un hobo*

Claude Robitaille, *Le corps bissextil*

Claude Robitaille, *Le temps parle et rien ne se passe*

Saâdi, *Contes d'Orient*

Pierre Savoie, *Autobiographie d'un bavard*

Jean Simoneau, *Laissez venir à moi les petits gars*

Julie Stanton, *Miljours*

François Tétreau, *Le lit de Procuste*

Claude Vaillancourt, *Le Conservatoire*

Pierre Vallières, *Noces obscures*

Yolande Villemaire, *Vava*

Paul Zumthor, *Les contrebandiers*

Paul Zumthor, *La fête des fous*

POÉSIE

José Acquelin, *Tout va rien*
José Acquelin, *Le piéton immobile*
Anne-Marie Alonzo, *Écoute, Sultane*
Anne-Marie Alonzo, *Le livre des ruptures*
Marie Anastasie, *Miroir de lumière*
Élaine Audet, *Pierre-feu*
Jean Basile, *Journal poétique*
Jean A. Beaudot, *La machine à écrire*
Germain Beauchamp, *La messe ovale*
Michel Beaulieu, *Le cercle de justice*
Michel Beaulieu, *L'octobre*
Michel Beaulieu, *Pulsions*
André Beauregard, *Changer la vie*
André Beauregard, *Miroirs électriques*
André Beauregard, *Voyages au fond de moi-même*
Marcel Bélanger, *Fragments paniques*
Marcel Bélanger, *Infranoir*
Marcel Bélanger, *Migrations*
Marcel Bélanger, *Plein-vent*
Marcel Bélanger, *Prélude à la parole*
Marcel Bélanger, *Saisons sauvages*
Louis Bergeron, *Fin d'end*
Jacques Bernier, *Luminescences*
Réginald Boisvert, *Le temps de vivre*
Yves Boisvert, *Chiffrage des offenses*
Denis Boucher, *Tam-tam rouge*
Denise Boucher, *Paris Polaroïd*
Roland Bourneuf, *Passage de l'ombre*
Jacques Brault, *La poésie ce matin*
Pierre Brisson, *Exergue*
André Brochu, *Délit contre délit*
André Brochu, *Dans les chances de l'air*
Nicole Brossard, *Mécanique jongleuse* suivi de *Masculin grammaticale*
Nicole Brossard, *Suite logique*
Antoinette Brouillette, *Bonjour soleil*
Alice Brunel-Roche, *Arc-boutée à ma terre d'exil*
Alice Brunel-Roche, *Au creux de la raison*
Françoise Bujold, *Piouke fille unique*
Michel Bujold, *Transitions en rupture*
Jean Bureau, *Devant toi*
Pierre Cadieu, *Entre voyeur et voyant*
Mario Campo, *Coma laudanum*
Georges Cartier, *Chanteaux*
Paul Chamberland, *Demain les dieux naîtront*
Paul Chamberland, *Demi-tour*

Paul Chamberland, *Éclats de la pierre noire d'où rejaillit ma vie*
Paul Chamberland, *Extrême survivance, extrême poésie*
Paul Chamberland, *L'enfant doré*
Paul Chamberland, *Le prince de Sexamour*
Paul Chamberland, *Terre souveraine*
Paul Chamberland, Ghislain Côté, Nicole Drassel, Michel Garneau, André Major, *Le pays*
François Charron, *Au « sujet » de la poésie*
François Charron, *Littérature/obscénités*
Pierre Châtillon, *Le mangeur de neige*
Pierre Châtillon, *Soleil de bivouac*
Herménégilde Chiasson, *Mourir à Scoudouc*
Jacques Clairoux, *Cœur de hot dog*
Cécile Cloutier, *Chaleuils*
Cécile Cloutier, *Paupières*
Guy Cloutier, *Cette profondeur parfois*
Jean Yves Collette, *L'état de débauche*
Jean Yves Collette, *Une certaine volonté de patience*
Gilles Constantineau, *Nouveaux poèmes*
Gilles Constantineau, *Simples poèmes et ballades*
Ghislain Côté, *Vers l'épaisseur*
Gilles Cyr, *Diminution d'une pièce*
Gilles Cyr, *Sol inapparent*
Gilles Derome, *Dire pour ne pas être dit*
Gilles Derome, *Savoir par cœur*
Jacques De Roussan, *Éternités humaines*
Marcelle Desjardins, *Somme de sains poèmes t'aquins*
Gilles Des Marchais, *Mobiles sur des modes soniques*
Gilles Des Marchais, *Ombelles verbombreuses* précédé de *Parcellaires*
Ronald Després, *Les cloisons en vertige*
Pierre DesRuisseaux, *Lettres*
Pierre DesRuisseaux, *Monème*
Pierre DesRuisseaux, *Présence empourprée*
Pierre DesRuisseaux, *Storyboard*
Pierre DesRuisseaux, *Travaux ralentis*
Gaëtan Dostie, *Poing commun* suivi de *Courir la galipotte*
Michèle Drouin, *La duègne accroupie*
Raoul Duguay, *Chansons d'Ô*
Raoul Duguay, *Manifeste de l'infonie*
Fernand Dumont, *Parler de septembre*

*Cet ouvrage composé en Times corps 10
a été achevé d'imprimer sur les presses
de l'Imprimerie Gagné à Louiseville
en août 1990 pour le compte des
Éditions de l'Hexagone*

Imprimé au Québec (Canada)